Jeunesse

LA REINE SOLEIL

CHRISTIAN JACQ

LA REINE SOLEIL

Tome 2

Adaptation de Michel Laporte

Résumé du tome 1

Dans la cité du soleil, la capitale que le Pharaon Akhénaton a fondée en l'honneur du dieu qu'il vénère, Aton, l'ambiance est morose. À l'enthousiasme des premières années, celles où Pharaon régnait avec la grande épouse royale, Néfertiti, ont succédé des temps difficiles. Le peuple d'Égypte accepte mal qu'on veuille le faire renoncer de force à ses anciens dieux, le ravitaillement de la ville se fait mal, les aliments sont chers, les artisans sont toujours prêts à entamer une grève, beaucoup de hauts dignitaires, de diplomates et de rois alliés attendent l'occasion de trahir... Pour plomber encore un peu plus l'atmosphère, les rumeurs les plus graves courent sur la situation dans les protectorats et aux frontières de l'Empire d'où les tributs n'arrivent plus ou mal.

Néfertiti est malade et ne paraît plus en public. Le roi, dont la santé chancelle et qui n'est plus préoccupé que par le culte d'Aton, délaisse les affaires du royaume. Progressivement Pharaon se coupe de la population pour s'enfermer dans la solitude.

En réalité, il est grand temps de penser à la succession. Normalement, le trône des Deux Terres doit revenir à celui qu'épousera la fille aînée du couple royal, Méritaton. Ce mariage fera de lui le nouveau Pharaon. Pour Akhénaton, ce sera Sémenkh, un prince fidèle à Aton, qui prendra sa place le jour venu.

C'est compter sans Akhésa. Du haut de ses quatorze printemps, elle est seulement la troisième des princesses royales et ne peut donc pas espérer jouer un rôle de premier plan. Mais c'est un être d'exception. Elle est vive, intelligente, maligne, entreprenante, indépendante, courageuse, outre qu'elle aime son père et, par-dessus tout, son pays d'Égypte. Ce qu'elle veut, c'est, d'une façon ou d'une autre, poursuivre l'œuvre religieuse et pacifiste d'Akhénaton, après lui.

Et puis une sorcière qu'elle est allée trouver au fin fond des marais pour une banale affaire de cœur lui révèle qu'un jour, elle sera reine. Dès lors, le destin d'Akhésa se met en marche.

Sa sœur, la fille cadette du couple royal meurt soudainement, ce qui la met en seconde place sur la liste de succession au trône.

Le jeune prince Toutankhaton tombe éperdument amoureux d'elle. Or c'est lui que le puissant clergé d'Amon, beaucoup de dignitaires, la reine mère Téyé et Néfertiti elle-même veulent voir monter sur le trône. Tous le considèrent comme le seul candidat capable de réconcilier les deux capitales : Thèbes, la ville du dieu Amon, et la cité du soleil.

De son côté, au terme d'une enquête périlleuse et rondement menée, Akhésa parvient à démasquer Tétou, un diplomate corrompu et son complice, le roi de Syrie, qui complotaient contre Pharaon en mettant en péril la sécurité des protectorats orientaux. Elle s'attire ainsi l'estime des personnages les plus influents de la cour : le divin père Ay, Hanis, l'ambassadeur, et le général en chef, Horemheb, qui succombe très vite au charme torride de la jeune princesse.

De son côté, la fière allure du jeune général ne laisse pas Akhésa indifférente même si elle se méfie de lui, mesurant par avance quelles pourront être son ambition et sa soif de pouvoir.

Et puis Méritaton qui redoute sa jeune sœur autant qu'elle la déteste, commet une erreur grossière. Pour se débarrasser d'elle et, en même temps, se venger de son mari, le prince Sémenkh, qui la méprise, elle ourdit une machination sordide visant à les compromettre.

Piètre machination qui se retourne vite contre elle et amène Akhénaton à l'écarter définitivement du trône.

Pour Akhésa la voie vers le trône se trouve libre, brusquement ! Alors que meurt Néfertiti, elle épouse Toutankhaton. Ce mariage fait de lui l'héritier désigné du trône tandis qu'elle se prépare à devenir la Reine Soleil.

PARTIE I

Les derniers jours de la cité du soleil

1

Un entretien décisif

Akhénaton, maître souverain des Deux Terres, vivait le silence et la solitude dans le palais royal dressé au cœur de la cité du soleil. Il était encore plus seul, assis à côté du trône vide de la grande épouse royale, depuis ce triste jour où Néfertiti l'incomparable, son seul amour, était morte.

Des souvenirs pareils au soleil du matin lui traversaient l'esprit. Il se revoyait avec elle, debout à la fenêtre du palais royal, face à la foule joyeuse qui les acclamait. Il se rappelait les repas sans protocole pris sur les terrasses avec leurs filles qui étaient encore petites et qui riaient, riaient...

Une fine silhouette se profila à l'entrée de la salle du trône. Il reconnut Akhésa. Prestement, elle monta les marches du trône et vint se lover près de ses jambes.

— Es-tu heureuse, ma petite fille ? demanda-t-il.

— Je le crois, père. Il me semble bien...

— Pourquoi cette hésitation ?

— L'amour d'un homme ne me suffit pas, je crois.

— Tu veux aussi celui du pays, n'est-ce pas ? Seulement, celui-là dépend de Dieu, ma chère enfant. En attendant, je voudrais que tu m'aides. Prends un calame et un papyrus. C'est toi qui noteras la fin du grand hymne à Aton. Je n'en ai plus la force !

La princesse écrivit sous la dictée de son père :

« Toi, Aton, tu as créé des millions de formes à partir de toi-même alors que tu étais seul, les villes, les champs, les rivières, les chemins. Chaque œil te voit, mais tu résides dans mon cœur. Là, personne d'autre que moi-même ne te connaît, moi, ton fils, que tu as rendu conscient de tes plans et de ta puissance. »

Akhénaton se tut brusquement, les yeux révulsés, les lèvres entrouvertes. Akhésa le crut mort. Elle lui serra fortement la main. Il sursauta.

— N'aie pas peur, Akhésa, c'est l'effet du mal qui me ronge depuis de nombreux mois. Au fait... sais-tu qui a parlé le premier d'Aton ?

À sa moue, il devina qu'elle ne savait pas.

— C'est Hatchepsout. Elle a fait graver ces mots sur les murs à Karnak : « Je suis Aton qui créa tout être, qui donna force à la terre, qui acheva sa création. »

Il se tut un moment avant de reprendre, sur un ton inquiet :

— N'oublie jamais, Akhésa. Les prêtres sont les plus vils des hommes. Ils te trahiront comme ils m'ont trahi. Ils dénaturent le divin, ils le rabaissent. N'écoute pas leurs conseils, fuis leur compagnie. Sois reine, ma chère fille, et respecte toujours la loi de Maât.

Akhénaton continua de parler jusqu'au bout de ses forces en exposant à Akhésa les principes spirituels qui avaient guidé sa propre vie afin de la préparer à son métier de reine.

Ce matin-là, comme tous les autres jours, Horemheb nourrit et abreuva les oiseaux de sa volière. Il accomplit cette tâche en prenant tout son temps : c'était un plaisir qui le détendait. Quand il eut fini, il resta un bon moment à regarder tourterelles, pigeons, huppes et mésanges picorer les graines. Puis il s'ébroua. L'heure avançait et un rendez-vous important l'attendait, une rencontre cruciale qu'il appelait de ses vœux et qu'il redoutait en même temps.

Le soleil du printemps était chaud. Une vive lumière blanche inondait la terre. Les animaux s'abritaient sous les feuilles, les paysans dormaient dans des palmeraies. C'était pourtant l'heure qu'avait choisie Akhésa. Vêtue d'une simple résille, elle attendait sur le quai du lac artificiel où était amarrée sa barque légère en papyrus.

Quand Horemheb arriva, elle détacha l'amarre et sauta dans l'esquif pour s'installer à l'avant. Horemheb prit les rames et nagea en direction de l'île.

— J'avais besoin de vous parler, princesse.

Akhésa plongea la main dans l'eau et ne dit rien.

— Votre mariage est une erreur, poursuivit-il.

— Je sais ce que je vous dois, général, répondit-elle. Je ne l'oublierai pas. Mais la décision d'Akhénaton quant à sa succession est irrévocable à présent. De mon côté, j'ai épousé...

— Vous n'aviez pas à le faire ! la coupa-t-il.

— J'ai épousé Toutankhaton...

Horemheb serra les poings. Il était livide. Un enfant allait-il se dresser entre lui et Akhésa ?

— On le dit amoureux de vous... C'est absurde !

— Non. Son sentiment pour moi est profond.

— Et vous, vous...

Il ne put pas poser la question qui lui brûlait les lèvres. Il se tut un moment puis dit :

— Il sera forcément au cœur d'un grave conflit. Tenez-vous à l'écart, princesse !

— Toutankhaton est le futur pharaon et j'ai promis d'être à ses côtés.

Un mélange de colère et de déception se peignit sur le visage de Horemheb.

— Toutankhaton ne gouvernera pas avant longtemps. Nous devrions changer de regard sur notre destin.

Elle le regarda par en dessous. Jamais il ne s'était montré aussi séduisant, avec son grand front, sa cicatrice sur la joue gauche, son élégance naturelle.

— La lutte pour le pouvoir risque d'être cruelle, continua-t-il. Vous devriez me laisser vous protéger.

Akhésa se contenta de sourire.

— Je pense que mon mariage permettra justement d'éviter un conflit. Je crois Toutankhaton capable de donner satisfaction à la fois aux partisans d'Aton et aux tenants de la religion traditionnelle.

Horemheb vivait un cauchemar éveillé. Ce qu'il lisait dans les yeux d'Akhésa prouvait que la jeune fille l'aimait, il en était sûr. Mais elle lui expliquait, avec un calme incroyable, qu'elle avait choisi en toute connaissance de cause d'appartenir à un autre. Faisant effort sur lui-même pour se dominer, il déclara d'un ton aussi neutre que possible :

— Vous le savez, je suis le plus fidèle des serviteurs du roi...

— Un roi que vous n'aimez pas, général.

— Je suis en désaccord avec sa façon de gouverner, admit-il. Il mène l'Égypte à la ruine. Mais je ne l'ai pas trahi et je ne le trahirai pas.

Akhésa n'en doutait pas. Il était sincère bien qu'il eût la capacité de régner. Il poursuivit :

— Je sais que votre affection pour votre père ne vous aveugle pas. Quand il mourra, vous serez reine.

Akhésa ne dit rien. Elle préférait le laisser venir.

— Vous êtes mariée au prince, de mon côté j'ai épousé dame Mout. Ainsi l'ont décidé les dieux. Mais pourquoi notre destin serait-il scellé à tout jamais ? Vous pourriez...

Akhésa tourna la tête et fixa les yeux sur lui, pour le forcer à finir sa phrase.

— ... Vous pourriez devenir ma grande épouse royale.

C'était donc là son plan : à la mort d'Akhénaton, écarter les candidats au trône et se faire désigner par elle comme Pharaon légitime, en l'épousant.

Akhésa le regarda, les yeux brillants, éblouie. Partager la vie d'un tel homme, régner à ses côtés, restaurer la grandeur du pays... c'était un rêve magnifique qu'elle pouvait rendre réel.

Horemheb lui tendait les bras. Il suffisait de s'y abandonner.

Elle se leva, grimpa sur le fragile rebord de la barque, y demeura un instant en équilibre instable.

— Seulement je ne renoncerai pas à Aton, général, dit-elle. Il est l'héritage le plus précieux que m'a légué mon père. Et je n'abandonnerai pas Toutankhaton. Il m'a offert son amour, sa confiance. Il est mon destin.

— Vous le savez, dit-il à mi-voix tant ses mâchoires étaient contractées, d'avoir épousé Toutankhaton va faire de nous des ennemis irréductibles.

— Il sera fait selon la volonté d'Aton, général, répliqua-t-elle d'une voix qui tremblait un peu.

D'un coup de reins, elle plongea et nagea jusqu'à l'île.

2

Un réunion au sommet

Des semaines avaient passé.

Horemheb s'agitait beaucoup. Malgré la chaleur, les troupes casernées dans la cité subissaient des exercices quotidiens et intensifs. Les recrues étaient entraînées sans relâche. Les chars étaient l'objet de soins attentifs de la part des équipes de maintenance.

Le général payait de sa personne et sa popularité ne cessait de croître. Plusieurs fois par jour il parcourait sur son char les artères de la cité en répondant aux saluts de la foule. Il s'efforçait de combler le vide laissé par Pharaon qui ne sortait plus du tout de son cabinet d'études privé.

D'un pas las, Horemheb regagnait le quartier général de son état-major, qui était désert à cette heure-là. Les officiers étaient tous partis déjeuner, puis faire la sieste. Au moment d'entrer dans son bureau, il vit que le divin père Ay, Hanis et Houy l'y attendaient.

— Pardonnez-nous de nous être imposés, dit Ay, mais nous devions vous voir au plus vite.

— Vous êtes les bienvenus, répondit le général qui, visiblement, n'en pensait pas un mot.

— Toute cette agitation, ces préparatifs... commença le vieux courtisan. Agissez-vous sur ordre de Pharaon ?

— Je veille à ce que l'armée soit prête si les Hittites attaquent. Pas besoin d'ordre pour ça !

— Peut-être pas, concéda le divin père. Mais vous devriez consulter Toutankhaton, ou au moins l'informer

— C'est un enfant ! rien qu'un enfant ! dit sèchement Horemheb. Pourquoi devrais-je... ?

— Parce que Toutankhaton est l'époux d'Akhésa, héritière du trône, répliqua Houy avec véhémence. Parce que Pharaon l'a choisi comme successeur et qu'il régnera sur les Deux Terres ! Voilà pourquoi !

Incapable de maîtriser sa colère, Houy sortit, aussitôt suivi par Hanis. Horemheb croisa les bras et considéra le divin père Ay qui ne semblait pas s'émouvoir..

— C'est vous qui les dressez contre moi ?

Le vieux courtisan hocha la tête.

— J'agis dans l'intérêt de l'Égypte. Faites-en autant en m'aidant à installer Toutankhaton et Akhésa sur le trône. Après... Eh bien ! ce sont des enfants. Nous leur montrerons le chemin qu'il convient de suivre.

Sur ce conseil, il s'en alla à son tour.

Horemheb soupira. Décidément, ils étaient tous ligués contre lui... Jusqu'à ce déplaisant émissaire qu'il avait rencontré quelques jours plus tôt, en grand secret, à la frontière du désert. Un prêtre au crâne rasé, vêtu d'une robe blanche, qui s'était profondément incliné devant lui.

Autour de la tente, le vent soufflait avec une rare violence en projetant du sable qui tintait contre la toile.

— Qu'Amon nous protège ! avait dit le prêtre.

— Pourquoi avez-vous demandé à me voir ainsi, en cachette ? avait demandé le général

– Malgré l'éloignement, nous suivons de près les événements, avait expliqué l'autre. Le but des prêtres d'Amon est, comme le vôtre, la grandeur de l'Égypte. Nous devons préparer ensemble la succession.

Ainsi, avait songé Horemheb, le clergé traditionnel avait déjà choisi le futur pharaon.

— Il nous faut un homme qui assure un lien magique entre Thèbes et la cité du soleil, un homme qui écoute nos conseils, redonne aux temples la prospérité perdue. Nous l'aiderons et vous l'aiderez à réussir.

Il n'avait pas eu besoin d'en entendre plus.

À l'instar de tous les autres, le clergé de Thèbes voulait comme roi un enfant facile à manipuler : Toutankhaton.

3

Une décision attendue

Une heure avant l'aube, Akhésa fut réveillée par le majordome d'Akhénaton qui la pria de se rendre auprès de son père sans perdre un instant. Elle y courut.

Akhénaton était étendu sur un lit étroit, les bras le long du corps. Un drap de lin le recouvrait jusqu'à la poitrine. Akhésa s'agenouilla près de lui, lui baisa la main.

Le roi ouvrit les yeux.

— L'heure est venue, fille chérie... Aton m'appelle... Mon esprit est déjà en lui, immergé dans sa lumière. Pour te donner la force de continuer mon œuvre, chaque nuit, je t'apparaîtrai sous la forme d'une étoile. Nous ne serons jamais séparés, Akhésa.

La voix était si faible qu'elle la percevait à peine.

— L'aube va se lever. Emmène-moi sur la terrasse, que j'adore encore une fois le premier soleil.

Au prix d'un immense effort, Pharaon parvint jusqu'à la terrasse supérieure du palais. Là, il s'assit sur un siège à haut dossier et, serrant la main de sa fille, il mourut à l'instant où les premiers rayons du soleil couronnaient l'orient de lumière.

*
* *

Dès le lendemain, Akhésa dut présider un conseil qui rassembla les dignitaires de la cité du soleil. On y décida que des messagers partiraient pour les capitales régionales. Chefs de province, administrateurs, scribes, prêtres étaient chargés d'apprendre au peuple la mort de Pharaon. Elle sortit épuisée de ces longues heures de négociations malaisées. Des mois

26

durant, elle avait rêvé de devenir responsable du sort de l'Égypte ; elle l'était, désormais, et cela ne lui causait pas la joie qu'elle avait espérée.

Après le conseil, alors qu'elle s'était allongée sur la terrasse pour essayer de refaire ses forces, on lui annonça la visite du divin père Ay. Il parut bientôt, accompagné de son fils, le commandant Nakhtmin.

— Vous avez entendu les dignitaires, commença Ay, et vous avez eu le temps de vous forger une opinion.

— Ils sont pour Horemheb, dit-elle sans animosité.

— Seulement, Majesté, Toutankhaton doit régner.

Akhésa haussa les épaules.

— Comment imposer Toutankhaton à Horemheb ?

— En annonçant votre décision, dit Ay. Prenez conscience de votre rôle : si vous le jugez digne de régner, il sera le roi légitime. Horemheb n'osera pas un coup de force. Il a un respect inné de la loi et de l'ordre.

Akhésa réprima un sourire. L'attachement de ces deux-là à Toutankhaton n'était dicté que par l'ambition. Mais qu'importait ? Cette ambition la servait.

Quand ils se furent retirés, Akhésa descendit faire quelques pas dans le jardin où, quelques années plus tôt, elle avait joué avec son père et sa mère.

Tout en marchant dans les allées ombreuses, elle se remémora le long entretien qu'elle avait eu avec Hanis. L'ambassadeur était nettement moins optimiste que Ay. À son avis, Horemheb était devenu suffisamment fort pour obliger la princesse à se ranger à ses vues.

De son côté, elle hésitait un peu. Demain, devant le grand conseil, elle devrait prononcer le nom du futur pharaon. En choisissant Horemheb, elle rendrait tout son éclat au pays en plaçant sur le trône un véritable chef d'État capable d'agir tout de suite et de tenir à distance les ennemis du trône et du pays. Mais ce serait condamner Toutankhaton à ne plus jouer aucun rôle et à demeurer loin d'elle, cela, au moment même où, comme elle s'en était aperçue à peine quelques jours plus tôt, elle portait son enfant dans son ventre.

Elle entrait dans l'ombre parfumée d'une touffe d'acacia en fleur quand, derrière elle, une voix rauque ordonna :

— Ne bougez pas, ne vous retournez pas !
Je dois vous parler, au nom des ouvriers, des
artisans, au nom des humbles que vous
connaissez si mal.

Cette voix... Akhésa la connaissait. Seule la
fatigue l'empêchait de l'identifier.

— J'ai trompé la vigilance des gardes pour
vous demander de désigner Toutankhaton
comme Pharaon. C'est lui que nous désirons
voir régner !

Elle avait enfin reconnu... le sculpteur Maya,
cet homme déplaisant mais qui avait l'oreille
des artisans et, au-delà d'eux, du peuple en
général.

— Pourquoi soutenez-vous ainsi mon
époux ?

— J'ai une dette envers lui et je suis bien
décidé à m'en acquitter. Je m'en vais, à présent.
N'oubliez surtout pas mon avis !

— J'agirai selon mon cœur, répondit seulement Akhésa.

En se glissant hors du jardin, le sculpteur,
songea qu'il avait raison de croire que l'Égypte
avait tout à redouter de cette jeune femme
indomptable, trop belle et trop intelligente.

La nuit était déjà bien avancée. Akhésa se
dit qu'il fallait qu'elle rentre et, surtout, qu'elle

dorme. Mais à peine fut-elle allongée sur son lit, que les idées se mirent à se bousculer dans sa tête, faisant fuir le sommeil et l'empêchant de trouver le repos.

*
* *

Ce fut avec l'impression qu'elle avait la tête vide et que ses jambes se refuseraient à la soutenir longtemps que, le lendemain, le matin venu, elle parut dans la salle du trône. Un maître de cérémonie la précédait, qui rythmait sa marche en frappant le sol de sa longue canne.

Elle alla s'asseoir dans un siège à haut dossier installé au pied du trône vide. L'ensemble de la cour avait déjà pris place de part et d'autre de l'estrade sur laquelle il était érigé.

Si le divin père Ay et son épouse étaient presque invisibles, à demi cachés par une colonne, Horemheb se tenait au premier rang, avec la dame Mout. Nakhtmin et Houy étaient restés près de la porte avec d'autres officiers supérieurs. Hanis se trouvait non loin du trône et Toutankhaton était en compagnie des dignitaires religieux.

Dans un silence total, un ritualiste au crâne

rasé s'avança. Il déroula un papyrus et lut d'une voix ferme et puissante :

— Au nom d'Aton et par la grâce de sa lumière qui fait vivre les êtres, la princesse Akhésa, gardienne du trône, a réuni la cour. Que chacun s'incline devant la puissance créatrice !

Akhésa leva les mains au-dessus de la tête. Elle se sentit soudain investie d'un pouvoir fulgurant.

Au fond de la salle, près de l'entrée, un brouhaha se produisit. Un archer s'avança vers Akhésa.

— Majesté, dit-il, une délégation de prêtres est à la porte. Ils sont venus de Thèbes et souhaitent être reçus.

Tous les regards convergèrent vers Akhésa. Qu'allait-elle décider ? Jamais, depuis la création de la cité du soleil, des partisans d'Amon n'avaient osé s'y aventurer.

— Qu'ils entrent, dit-elle, d'une voix étouffée.

Les portes s'ouvrirent. Des murmures hostiles et des exclamations de colère accompagnèrent les dix prêtres quand ils allèrent prendre place aux côtés de leurs collègues officiant pour Aton.

— Elle a trahi son père, dit un courtisan, assez fort pour que tout le monde l'entende.

— Pas du tout, répondit un autre. Elle fera plier Thèbes et les prêtres d'Amon.

Il n'y avait plus de temps pour hésiter désormais. Il fallait aller très vite. Akhésa se leva.

— Au nom d'Aton, proclama-t-elle, je reconnais comme souverain légitime des Deux Terres...

Chacun retint son souffle.

— ... Le nouveau Pharaon, roi légitime des Deux Terres, est le prince Toutankhaton, mon époux bien-aimé, selon la volonté clairement exprimée par mon père !

4

Un adieu déchirant

Akhésa ne fut pas longue à le constater : en réalité, les difficultés ne faisaient que commencer. Sur l'instant, néanmoins, Horemheb sembla bien accepter la désignation de son rival comme Pharaon. Mais avait-il le choix ?

Et puis, contrairement à ce que redoutaient Hanis et Houy, il n'y eut aucun signe de nervosité dans l'armée.

Les cérémonies funèbres en l'honneur d'Akhénaton furent longues et se déroulèrent sans aucun incident. La ferveur était beaucoup retombée et le peuple de la cité du soleil ne sembla pas désespéré de voir s'en aller vers sa dernière demeure ce roi qu'il avait follement aimé, jadis, quand il partageait le trône avec l'incomparable Néfertiti.

Akhésa, elle, fut profondément affectée, plus par les mille petits signes qui montrèrent que les temps étaient en train de changer que par son deuil proprement dit. Elle avait vu dépérir son père et avait eu le temps de se préparer à sa disparition. En outre, l'enfant qui commençait à faire s'arrondir son ventre était le gage que la vie continuait en dépit de tout et qu'il restait bien des raisons d'espérer.

Le premier mauvais coup que lui porta Horemheb fut l'arrivée des prêtres d'Amon venus, selon ce qu'en dit le général, ratifier solennellement le choix de Toutankhaton comme roi.

Akhésa choisit la grande cour du temple d'Aton pour recevoir le Premier Prophète d'Amon. C'était un homme d'âge mûr, encore robuste, de haute stature, dont le visage creusé de rides affichait perpétuellement une mimique méprisante. Il avait combattu Akhénaton au début de son règne avant de devoir, provisoirement, s'incliner. Des années durant, il était demeuré tapi dans l'ombre, tel le scorpion dans son terrier, à attendre le jour de sa revanche.

Pour lui, ce jour était venu.

— Le Premier Prophète se réjouit de votre sagesse, Majesté, dit le divin père à Akhésa. Le choix du prince Toutankhaton saura plaire aux dieux.

— Aux dieux ? Vous oubliez déjà Aton !

— Il le faut bien, répondit le Premier Prophète. Akhénaton n'a formé aucun disciple.

— C'est faux ! Il m'a transmis son enseignement.

— Vous dresserez-vous contre la totalité du clergé d'Amon ? demanda le Premier Prophète.

Akhésa regarda le soleil, la cour, les dalles immaculées de blancheur. Elle crut entendre la voix suave de sa mère chantant la beauté d'Aton. Elle crut voir les danseuses sacrées esquisser des pas syncopés au son des flûtes et des tambourins. Mais non, il n'y avait rien que le vent et l'absence. Sa jeunesse, ses éblouissements, ses bonheurs quotidiens appartenaient déjà à un monde révolu.

— Je ne m'en crois pas capable, soupira-t-elle, à regret.

— Voilà beaucoup de lucidité dans une âme jeune, dit le Premier Prophète sur le ton de l'approbation. Je suis heureux de constater que vous avez opté pour la sagesse.

Akhésa comprit que le pire était à venir.

— Qu'attendez-vous de moi ? demanda-t-elle.

Ce fut Ay qui répondit, avec un accent qui se voulait rassurant.

— Aucun des ordres de votre père n'a jamais été discuté car la parole de Pharaon est toute-puissante. Mais aujourd'hui, princesse, la situation est bien différente. Certes, la désignation de Toutankhaton est un choix tout à fait judicieux, mais il est incapable de régner dans l'immédiat. Poursuivre l'expérience initiée par votre père serait dangereux pour le pays, et nuisible.

— Ce qui signifie ? demanda Akhésa bien qu'elle sache d'avance ce qu'ils allaient lui répondre.

— Qu'il faut rentrer à Thèbes, dit le Premier Prophète. C'est là qu'aura lieu le couronnement de Pharaon.

Akhésa pleurait intérieurement. Mais, malgré la tristesse immense qui la submergeait, elle parvint à montrer un visage impassible.

— La cité du soleil sera abandonnée, poursuivit le Premier Prophète, et Thèbes retrouvera son statut de capitale. Et aussi, votre époux changera de nom. Il sera désormais Tout-ankh-*Amon*, symbole vivant d'Amon.

Akhésa sentit une vague de colère l'envahir, mêlée à beaucoup de mépris. « Les prêtres, avait dit Akhénaton, sont les plus vils des hommes... N'écoute pas leurs conseils, fuis leur compagnie... »

— Il va de soi, ajouta le Premier Prophète, que ces conditions ne sont pas négociables. J'ai l'appui entier du général Horemheb et de l'armée.

Akhésa ne put rien répondre. Elle était prisonnière et le savait. Ay, Horemheb et les prêtres d'Amon avaient conclu un pacte qui faisait d'elle et de Toutankhaton des jouets dociles entre leurs mains. Du moins était-ce ce qu'ils croyaient... car la jeune femme envisageait déjà une riposte qu'ils étaient bien incapables d'imaginer.

Dans l'immédiat, cependant, il fallait sauvegarder l'essentiel.

— La cité du soleil ne doit pas être détruite, dit-elle. Quand ses habitants l'auront désertée, je veux qu'elle demeure intacte, livrée au soleil et au vent.

Le Premier Prophète réfléchit un moment. Raser la cité maudite lui avait paru nécessaire. Mais quand la ville serait abandonnée, le sable du désert voisin suffirait à la recouvrir rapidement d'une chape de néant, pour l'éternité.

— J'accepte, Majesté. En échange, vous recevrez une liste de dignitaires thébains. Un décret du nouveau roi leur rendra les privilèges dont Akhénaton les avait privés. Cette première décision sera excellente pour la stabilité du trône.

*
* *

Le dernier matin était venu, celui du départ.

Toutankhaton ne se tenait pas de joie à l'idée de retourner à Thèbes et d'y demeurer à l'avenir avec Akhésa. Elle avait évoqué devant lui sa future fonction de Pharaon, il lui avait répondu en parlant d'amour.

Elle ne pleurait pas, faisait taire de son mieux l'insupportable souffrance qui lui taraudait l'âme quand, sortant une dernière fois du palais, elle monta dans son char qui allait la conduire au port. Les nobles avaient fermé à jamais la porte de leurs somptueuses villas, les jardiniers, arrosé une dernière fois les parterres fleuris. Les menuisiers avaient démonté les colonnes de bois pour les réutiliser dans les demeures thébaines. Les fonctionnaires avaient roulé les papyrus administratifs et les avaient rangés dans des coffrets. Les momies avaient été tirées de leurs tombeaux pour être transportées dans de nouvelles sépultures. Seule la famille royale resterait à reposer pour l'éternité dans le site désertique choisi par Akhénaton.

L'aube légère rosissait les falaises et dissipait lentement les brumes qui voilaient encore les champs. La brise gonflait les voiles des bateaux chargés de meubles, de coffres et de rouleaux d'étoffes précieuses. Il ne faudrait que quelques jours à la cité de la lumière pour se vider totalement de ses habitants. Les plus pauvres, ceux qui ne pouvaient pas s'en aller par leurs propres moyens, partiraient sur les barges de transport affrétées par l'État et regagneraient ici et là leurs villages d'origine.

Toutankhaton et Akhésa avaient pris place sous une tente qu'on avait dressée au centre de la barque royale. L'adolescent rayonnait de bonheur. L'avenir, avec celle qu'il aimait de plus en plus passionnément, lui semblait des plus riants ; les dieux le comblaient de tous les bonheurs.

Debout sur le pont, Akhésa regarda la cité du soleil disparaître à mesure que le bateau s'éloignait. Un coude du fleuve lui masqua à jamais la capitale de son père.

Des larmes abondantes roulèrent sur les joues de la fille du pharaon maudit.

5

Une patiente intronisation

La lourde porte bardée de bronze étincelant se referma sur Toutankhaton et Akhésa. Cette dernière découvrait avec stupeur le domaine d'Amon Rê. Elle avait souvent entendu parler de ce chantier sacré inauguré des siècles plus tôt et que chaque pharaon avait mis un point d'honneur à embellir, jusqu'à Thoutmosis III, le conquérant, Thoutmosis IV, le protégé du sphinx et Amenhotep III, le magnifique.

Ils avaient dressé des colonnades, ouvert des cours, érigé des colosses, développé le corps de pierre où les rites quotidiennement répétés assuraient la prospérité de l'Empire. La hauteur de Karnak atteignait le ciel, comme l'affirmaient les théologiens.

Akhésa était éblouie. Le regard vivant des statues la perçait jusqu'à l'âme. Partout de l'or, de la turquoise, du lapis-lazuli, des pierres précieuses qui rehaussaient la splendeur des édifices de cette ville sainte.

Les deux jeunes gens s'arrêtèrent devant une double porte recouverte d'or, presque effrayés par la gravité de la cérémonie. Plusieurs dizaines de prêtres, disposés sur deux rangs, les entouraient.

Le Premier Prophète parut, une longue canne dorée à la main. Un prêtre lui présenta un couteau dont la lame étincelait. Il passa derrière Toutankhaton, empoigna la petite boucle de cheveux que l'adolescent portait sur le côté et, d'un mouvement sec, la coupa. Ce geste fit sortir le roi de l'enfance.

Toutankhaton frissonna. Il n'avait pas eu mal mais la conscience de tout ce qu'il venait de perdre en un clin d'œil lui causa une douleur aiguë. Le monde d'insouciance et de plaisir qui, jusqu'alors, avait été le sien venait de céder la place à un engagement terriblement austère, presque surhumain.

— Amon donne la royauté ! déclama le Premier Prophète. Il garde intact le trône où s'assied Pharaon. Dis qui tu es, toi qui te présentes devant la porte du temple ?

— Je suis le fils du Seigneur, répondit Toutankhaton, répétant les mots qu'on lui avait appris. J'agirai selon ses ordres et j'accomplirai ce qui lui est agréable.

— Puisque tu es le fils fidèle d'Amon, reçois ton nom visible, proclama le Premier Prophète. Ce sera désormais Toutankhamon. Il sera inscrit dans les Annales et continuera de vivre au-delà de la mort.

D'un signe de tête, le Premier Prophète donna l'ordre d'ouvrir la double porte du temple couvert. Là ne pénétrait qu'une lumière rare et diffuse, filtrée par des grilles de pierre. De chaque côté d'une table couverte d'offrandes attendaient Horemheb et le divin père Ay. Ils étaient chargés d'attribuer au futur souverain des années sans fin et une nourriture céleste intarissable.

La lourde porte se referma, replongeant les lieux dans la pénombre. Akhésa eut le temps, cependant, de distinguer une stèle montrant

Toutankhamon en train d'adorer Amon-Rê : les sculpteurs n'avaient pas perdu un instant depuis l'annonce de la mort d'Akhénaton.

— L'heure est venue de vous purifier, dit le Prophète en emmenant les souverains dans une pièce obscure.

Il les fit se dévêtir, leur demanda de s'asseoir sur un bloc de granit et d'attendre qu'on vienne les chercher après un jeûne silencieux d'un jour et d'une nuit.

Épuisé par ces événements trop lourds pour lui, le jeune roi ne tarda pas à s'endormir. Akhésa, elle, ne put pas trouver le sommeil. Elle songeait à la façon dont Horemheb l'avait regardée, lui avait tenu la main. Elle se reprocha cette attirance pour le général à un moment où elle devait toute son affection à un mari fragile. En même temps, elle refusait de se mentir à elle-même : si elle éprouvait une tendresse infinie pour Toutankhamon, elle aimait Horemheb.

Un autre amour, pourtant, encore plus fort tenait son cœur : celui de l'Égypte qu'avait voulue son père, un pays de lumière où les rayons d'Aton ne rencontraient nulle muraille. C'était à cet amour-là qu'elle s'était offerte. Pour y demeurer fidèle, il fallait aider Toutankhamon à devenir pleinement Pharaon. À elle, ensuite, de le convaincre de secouer la tutelle des prêtres d'Amon.

Pendant cette nuit de méditation, Akhésa se forgea une âme de reine. Prisonnière de Karnak, elle puisa à plein dans l'énergie sacrée qui flottait entre ces murs où des femmes illustres l'avaient précédée avant d'accéder, elles aussi, au trône. Elle s'imprégna de ce glorieux passé, fit monter en elle une force nouvelle.

Quand le prêtre vint les chercher, elle était sereine. Dans ce temple couvert, le temps n'existait plus. Peut-être était-ce l'aube...

Akhésa sourit à Toutankhamon dont elle percevait l'inquiétude. Les yeux du jeune homme lurent une telle confiance dans ceux de son épouse qu'il en fut rassuré. Tant qu'elle demeurait auprès de lui, il se sentait capable d'aller au terme du chemin qui lui était imposé.

Des prêtres versèrent sur leur tête le contenu d'une aiguière d'or.

— Par l'eau de la vie, la nature humaine est transformée en nature divine, déclara le Prophète d'Amon pour accompagner l'aspersion.

On les fit ensuite passer dans une salle éclairée par de petites ouvertures ménagées dans le plafond. S'y trouvait une barque relevée aux deux extrémités qu'ornait, chacune, une tête de bélier : l'arche sacrée d'Amon. Un voile blanc dissimulait la statue du dieu.

Suivit une longue pérégrination à travers des cours, des salles, des chapelles en enfilade où avaient pris place prêtres et prêtresses qui portaient des masques de dieux et de déesses.

Akhésa était éblouie par la magnificence des lieux, le grès blanc, le granit rouge et noir, le sol tapissé d'or et d'argent, les portes en bois de cèdre ornées et incrustées de cuivre d'Asie.

Quand ils furent au terme de cette déambulation mystique, le Premier Prophète noua un bandeau autour du front du nouveau pharaon. Il signifiait que, désormais, sa pensée se confondrait avec celle des dieux. Puis il posa sur sa tête la couronne rouge et la couronne blanche, symboles de la Basse et de la Haute Égypte, en disant d'une voix forte :

— Amon t'offre la vie, la stabilité et la force !

Enfin, il s'agenouilla devant le jeune roi et chaussa ses pieds de sandales blanches.

Le nouveau roi était équipé pour accomplir la montée vers une chapelle plongée dans les ténèbres. Il y entra seul tandis qu'Akhésa demeurait à l'attendre sur le seuil. L'adolescent s'avança jusqu'à la statue d'Amon qu'on avait coiffée de la couronne aux deux grandes plumes. Là, il s'agenouilla et pria. Quand il se releva, il était devenu roi-dieu, image vivante d'Amon sur terre.

Toutankhamon ressortit de la chapelle. Le Premier Prophète lui remit deux sceptres qu'il croisa sur sa poitrine et le conduisit jusqu'au fond du temple. Là, le nouveau pharaon récita les formules rituelles du culte pour la première fois.

Pour finir, les prêtres ramenèrent Toutankhamon et Akhésa dans la salle des fêtes où tous les grands dignitaires de la cour attendaient avec impatience. Des cris de joie qu'on entendit de l'extérieur du palais marquèrent qu'à nouveau, l'Égypte avait un roi. Ce fut le signal de déclenchement d'une liesse populaire qui allait durer plusieurs jours.

*
* *

Comme chaque matin depuis maintenant plus de deux mois qu'avait eu lieu le sacre, Toutankhamon attendait la visite du divin père Ay. Jour après jour, le vieux courtisan initiait le jeune roi aux secrets et aux chausse-trapes de la cour de Thèbes. Akhésa assistait en silence à ces entretiens qui la dégoûtaient. Au lieu de songer à la grandeur du pays et à la prospérité de son peuple, les courtisans ne songeaient qu'à leur carrière.

Akhésa avait toutefois résolu de se montrer prudente et de ne rien entreprendre avant la naissance de son enfant. Les violentes douleurs qui, par intervalles, lui déchiraient le ventre l'incitaient à se montrer patiente.

Ay était en retard. Il parut enfin, l'air préoccupé.

— Il faut que je vous parle de Horemheb, dit-il.

Akhésa dressa l'oreille.

— Depuis le couronnement, il s'est beaucoup démené à renforcer les corps d'armée qu'il commande. Il proclame partout son obéissance absolue vis-à-vis de Pharaon et prêche le calme et la paix mais il prépare la guerre.

— La guerre contre ses souverains légitimes ? demanda Akhésa, brusquement inquiète.

Ay ne voulut pas se mouiller :

— Je l'ignore... En réalité, depuis quelque temps, le général m'évite avec soin. Cependant, sa popularité ne cesse de croître. Il a organisé une grande cérémonie au temple de Montou et réclame votre présence.

Akhésa posa les mains à plat sur son ventre douloureux.

— S'il faut y aller, nous irons, dit-elle en évitant de regarder Toutankhamon dont la moue montrait clairement qu'il n'en avait pas envie.

— C'est ce qu'il y a de plus sage à faire ! approuva le vieux courtisan. Qu'en dites-vous, Majesté ?

Toutankhamon qui regardait ses pieds ne leva pas la tête.

— Alors, je vais de ce pas lui transmettre votre acceptation, dit Ay en s'en allant.

6

Une ruse du général

Horemheb se porta au-devant des souverains pour les accueillir lorsqu'ils descendirent de leur char. Précédé de deux porte-éventail, il les conduisit dans une cour ceinte de colonnades. Deux trônes y étaient installés : les jeunes souverains s'y assirent et, aussitôt, un soldat joua un air martial à la trompette. Une troupe de fantassins composée d'Égyptiens et de mercenaires Libyens, Syriens, Asiatiques et Nubiens, entra au pas de course. Les Égyptiens étaient coiffés d'une perruque courte, les Asiatiques portaient la barbe et les cheveux ramassés derrière la nuque, les Libyens avaient une grande plume fixée au sommet du crâne. Ils offrirent au couple royal une parade parfaitement ordonnancée qui dura longtemps.

Toutankhamon était ravi. Ces démonstrations belliqueuses, sans tueries ni combats, lui étaient une fête. Akhésa, en revanche, ne fut pas longue à comprendre qu'il s'agissait du premier volet du plan qu'avait échafaudé le général.

Une nouvelle sonnerie provoqua l'arrivée d'un cortège d'Asiatiques ; ils offrirent à Pharaon des chevaux et divers tributs en quantité impressionnante.

— L'Asie entière est venue se prosterner à vos pieds et implorer votre protection, commenta Horemheb.

Tout était splendide et bien organisé mais, Akhésa le sentait clairement, sonnait faux. Les hommes qui défilaient étaient maigres et pâles, certains semblaient épuisés. Elle remarqua aussi qu'ils portaient presque tous des traces de blessures.

Quand la parade fut terminée, Horemheb vint s'incliner profondément devant les trônes avant de demander d'une voix où perçait le contentement :

— Vos Majestés sont-elles satisfaites ?

— Oui, bien sûr, répondit Toutankhamon. Mais à présent, je suis fatigué. Je désire rentrer au palais.

— Il faut pourtant, Majesté, avant que vous ne partiez, que je vous informe de difficultés auxquelles se heurte notre pays. Je tente d'y remédier mais je manque cruellement de moyens. Le mieux pour me permettre d'agir avec efficacité, serait de me nommer député de Pharaon dans tous les pays étrangers, régent des Deux Terres et chef des intendants.

— N'êtes-vous pas déjà élu du roi, scribe bien-aimé de Pharaon, confident privilégié ? intervint Akhésa. À quoi bon quémander d'autres titres ?

— Nous savons bien qu'il s'agit de titres purement honorifiques, répondit le général avec un sourire, mais ils impressionnent les peuplades à demi sauvages auxquelles j'ai affaire. Ils m'aident. Alors...

Akhésa ne trouva rien à répondre. Horemheb poursuivit :

— Il faut aussi faire graver une stèle montrant notre œuvre de restauration. Elle racontera comment vous avez supprimé le mal, rétabli la vérité et pansé les blessures infligées aux temples par l'intolérance !

— Mais c'est tout à fait faux ! s'écria Akhésa. Mon père n'a rien détruit !

— Vrai ou pas, peu importe, répondit Horemheb. L'important est que le peuple croie que votre règne va rétablir la prospérité et l'harmonie. La stèle servira à renforcer son adhésion à vos personnes !

Le jeune roi l'écoutait à peine. Akhésa ne put que constater à quel point il n'était pas de taille à résister à son redoutable interlocuteur.

— Et aussi, ajouta le général, il faut réintégrer les prêtres qui ont été écartés des temples par le souverain précédent. Sans parler des notables et de leurs enfants qui doivent se trouver rétablis dans leurs dignités.

Malgré sa révolte et sa colère, Akhésa ne dit rien. La parade militaire n'avait eu lieu que pour faire montre de la force du général. Tout la portait à croire qu'il n'hésiterait pas à s'en servir si le couple royal tentait de résister. Contre un tel adversaire, il s'agissait de jouer finement.

Dès le lendemain de la parade, Akhésa convoqua le commandant Nakhtmin. Sans doute aurait-elle dû consulter les médecins car ses douleurs au ventre ne cessaient d'empirer en intensité et en fréquence. Mais elle avait le sentiment que l'attitude du général exigeait une réponse immédiate.

— J'ai observé les Asiatiques qui sont venus nous présenter les tributs hier. Ils m'ont fait une curieuse impression, pour des diplomates. Je voudrais que vous m'ameniez l'un d'entre eux pour que nous l'interrogions. Vous n'aurez aucun mal à le reconnaître : c'est un homme avec une moustache noire très fine à qui il manque la main droite.

— Ce que vous demandez est délicat, Majesté. Je n'ai aucun pouvoir de police.

— Je ne vous demande pas de l'arrêter, Nakhtmin. Je veux juste m'entretenir avec lui.

Nakhtmin trouva son homme sans difficulté : il était logé dans le quartier des ambassadeurs. Il lui demanda de le suivre, ce que l'autre fit volontiers même si sa surprise fut grande de se voir emmener dans le jardin d'une propriété où l'attendait la grande épouse royale.

Il se prosterna devant elle en tremblant.

— De quelle province venez-vous ? demanda-t-elle.

— De Syrie, Majesté.

— Comment avez-vous perdu votre main ?

— Je... j'étais... un accident... et...

— Je veux toute la vérité, dit Akhésa. Vous n'êtes pas diplomate ! Vous avez joué un rôle !

Le manchot pâlit considérablement.

— Les Hittites ont détruit mon village en tuant tous les miens. Je me suis caché dans la montagne et, quand les soldats égyptiens sont arrivés, je me suis enrôlé dans l'armée, avec la certitude que Pharaon nous protégerait. Puis j'ai perdu ma main au combat et, ne sachant plus comment subsister, je suis venu chercher refuge en terre d'Égypte. C'est là que le général Horemheb m'a recruté pour faire acte d'allégeance devant Pharaon comme si j'étais un envoyé étranger.

Akhésa le renvoya sans poser d'autre question. Horemheb avait commis sa première erreur.

*
* *

Quand il se présenta au palais, Horemheb était très content de lui. La journée d'été était magnifique, chaude sans être torride, et, il le pressentait, le couple royal l'avait convoqué pour lui confier, enfin, les pleins pouvoirs.

Le roi et la reine, couronnés et en costume de fonction, étaient assis sur leurs trônes. Toutankhamon tenait les sceptres, Akhésa une fleur de lotus. Horemheb baissa la tête, plia les genoux, flaira le sol et resta à attendre que Pharaon le convie à se relever.

Ce qu'il entendit ne fut pas ce qu'il espérait. Akhésa avait fait répéter à Toutankhamon les paroles qu'il devrait prononcer sur un ton solennel :

— Général Horemheb, malgré notre jeune âge, nous voulons exercer en plénitude nos prérogatives royales et gouverner personnellement les Deux Terres. En revanche, nous prêterons une oreille attentive aux conseillers qui nous offriront le fruit de leur expérience.

Il fallut à Horemheb une infinie maîtrise pour ne pas laisser éclater sa colère.

— Majesté, dit-il, vous êtes le maître et vos paroles deviennent réalité vivante. Nul autre que vous, en effet, n'est digne de gouverner...

Toutefois, de si graves dangers menacent le pays et le trône que la sagesse voudrait...

Akhésa sentit qu'une fois de plus, Toutankhamon risquait de ne pas pouvoir tenir tête à Horemheb.

— Vous avez menti, général, s'empressa-t-elle de le couper. Contrairement à ce que vous prétendez, vous ne contrôlez pas du tout la situation en Asie, j'en ai la preuve. Et vous nous fournissez de faux rapports ! C'est un comportement indigne d'un haut fonctionnaire. En conséquence, Pharaon, dans sa grande clémence, vous confie le soin de réorganiser l'armée dont vous êtes responsable et de garantir la sécurité des frontières. Tel sera dorénavant votre unique souci !

Grâce au témoignage du Syrien, Akhésa avait percé à jour la stratégie du général : il voulait laisser se dégrader la situation dans les protectorats, imputer cette faute au nouveau roi et en profiter pour prendre le pouvoir à l'occasion d'une reprise en main militaire.

Soucieux d'en finir au plus vite avec cette entrevue car le général le mettait mal à l'aise, Toutankhamon s'empressa de le renvoyer :

— Telle est notre volonté ! L'audience est terminée.

Horemheb sortit d'un pas précipité. Il ne vit pas la grande épouse royale tomber sur le dallage, inanimée.

Les médecins accoururent à son chevet. Leur diagnostic fut vite établi : Akhésa avait son enfant avant terme. Deux sages-femmes l'emmenèrent dans la salle du palais où les autres reines, avant elle, avaient mis au monde les enfants royaux.

Après l'accouchement, la grande épouse royale dormit deux jours et deux nuits de suite. Quand elle s'éveilla, une douleur lancinante lui taraudait toujours le ventre. Elle se tourna sur le côté et, dans la pénombre de la chambre dont les fenêtres étaient voilées de rideaux, découvrit un homme assis au pied de son lit.

— Toutankhamon... Viens près de moi, mon roi...

Dès que l'homme se leva, Akhésa se rendit compte de son erreur. C'était Ay, le divin père, qui lui prit les mains avec respect.

— Où est mon mari ?

— Le roi est légèrement souffrant, Votre Majesté. Nous sommes à la fin de la nuit. Il dort.

— Et mon enfant ? demanda-t-elle.

Ay la regarda avec la tendresse d'un père.

— Pourquoi n'est-il pas ici, dans son berceau ?

— C'était un fils, Majesté, dit le divin père. Hélas, il ne vit plus.

7

Une nomination inattendue

Le papillon se posa sur la poitrine de Toutankhamon. Le jeune roi, étendu sur un lit en bois d'ébène, n'osa pas bouger. La merveilleuse créature était un présent des dieux qu'il ne fallait pas déranger. Les ailes battirent plus lentement, puis finirent par s'immobiliser, comme si le petit animal prenait confiance.

— Me voici, Majesté, dit la voix grave de Maya.

L'adolescent se redressa vivement. Affolé, le papillon s'enfuit.

— Maya ! Mon ami !

Ils s'étreignirent, aussi émus l'un que l'autre.

— Maya, si tu savais comme je suis malheureux.

— Que se passe-t-il, Majesté ?

— Akhésa est malade, notre fils est mort sitôt né. Je suis seul dans ce palais où personne ne vient jamais me rendre visite pendant que Horemheb et Ay dirigent le royaume à leur guise. Si Akhésa venait à mourir, je n'aurais plus aucune raison de vivre !

— Ne parlez pas ainsi, Majesté. Les dieux décident de la vie et de la mort. Nous devons accepter le destin tel qu'il s'offre à nous !

Toutankhamon hocha la tête.

— Il faut être vieux comme toi pour penser ainsi.

Maya serra le jeune roi contre lui.

— Toi aussi, tu deviendras vieux, un jour. Et fort, aussi. Tu exerceras pour de bon le pouvoir dont ces intrigants te privent. Tu leur tiendras tête.

Les prédictions de Maya troublèrent Toutankhamon. Il n'avait guère envie de vieillir. Demeurer jeune à tout jamais auprès d'Akhésa, c'était là le seul bonheur dont il rêvait ! Pour l'heure, néanmoins, il avait autre chose en tête. Sa physionomie se fit grave.

— J'ai pris des décisions à ton sujet, dit-il. Le premier devoir de Pharaon étant de bâtir des temples et de préparer son tombeau, je te nomme Maître d'œuvre de mes chantiers et intendant de la nécropole.

— Votre Majesté, je ne...

— Ne discute pas ! Tu prends tes nouvelles fonctions à l'instant même. Et tu en assumeras une autre encore plus importante, en sorte d'assurer la prospérité du pays : à compter de maintenant tu deviens surintendant du Trésor et ministre des Finances.

*
* *

Quand il fut rentré chez lui, dans le domaine réservé des artisans, le nouveau Maître d'œuvre royal considéra sa petite maison avec nostalgie. Il l'avait construite de ses mains, depuis les fondations en pierres jusqu'au toit en feuilles de palmiers. Voilà qu'il devait la quitter.

Un apprenti vint interrompre sa songerie :

— Maître ! un homme vous demande. Il

n'est pas des nôtres. Nos gardes ont refusé de le laisser entrer au village.

— Je viens, mon garçon, dit-il.

En arrivant au poste de garde, Maya reconnut le général Horemheb.

— Laissez-le passer, dit-il. Je l'emmène.

A le voir vêtu d'un simple pagne, les pieds nus, les cheveux libres, sans bijoux, ni ornement, nul n'aurait pu supposer qu'il était le véritable maître de l'Égypte.

Dès qu'ils arrivèrent chez lui, Maya l'introduisit dans une petite pièce de réception ornée d'une statuette de Ptah, le patron des constructeurs. Il alla dans la cuisine et en revint avec des gâteaux ronds au miel et une cruche de bière douce parfumée au jus de datte.

— C'est beaucoup d'honneur que vous me faites, général, dit-il. Que me vaut votre visite ?

Assis sur une banquette de pierre, Horemheb dégustait la bière à petites lampées.

— Ne faites pas le modeste, Maya, commença-t-il. Vous êtes plus important que vous le prétendez. L'influence secrète des artisans est tout à fait considérable. Leurs avis sont écoutés. Et ces avis, c'est vous qui les leur... suggérez.

64

— Et ? demanda simplement Maya.

— Le pays est en danger ! Toutankhamon est beaucoup trop jeune ; il est incapable de prendre des décisions. Mon devoir est de rassembler les forces vives qui sauveront l'Égypte du désastre. Je réclame votre appui, Maya.

— Trop tard, général !

Horemheb ne parvint pas à dissimuler sa surprise.

— L'Égypte a un roi, poursuivit Maya. C'est lui qui gouverne et c'est à lui que nous devons obéissance.

— Bien entendu, nous lui obéissons, mais...

— Contrairement à ce que vous feignez de croire, Toutankhamon sait prendre ses responsabilités, général. Pour l'heure, il choisit les hommes qui l'aideront à rendre prospères les Deux Terres. Autant que vous le sachiez, nous serons contraints de collaborer à l'avenir, pour servir le roi et le royaume, vous comme chef suprême de l'armée et moi comme... maître d'œuvre des chantiers royaux et comme ministre des Finances.

Horemheb fut incapable d'achever son pot de bière. Il prit congé précipitamment, persuadé de faire un mauvais rêve.

Plusieurs jours durant, Toutankhamon pataugea dans les affres du désespoir. Où étaient-ils ces doux moments passés avec Akhésa, à respirer les fleurs, à la tenir par la main en lui parlant d'amour ? Pourquoi le bonheur s'était-il enfui aussi vite, pourquoi le destin avait-il emporté leur enfant ?

Puis un matin, alors que le jour se levait dans toute sa gloire derrière les collines de l'orient et que, refusant de le voir, il versait des larmes amères et silencieuses, deux mains très douces et très fraîches se posèrent sur son front brûlant.

— Akhésa, ma vie ! s'exclama-t-il. Tu es là, enfin !

— Ne dis rien, amour ! Laisse-moi te guérir.

Sous le contact des mains, le jeune roi sentit la vie et la joie qui revenaient en lui. Puis Akhésa alla jusqu'aux fenêtres et ôta les voiles sombres qui les occultaient. La lumière pénétra à flots dans la chambre royale.

— Comment vas-tu ? lui demanda Toutankhamon. Je me suis follement inquiété pour toi !

— Oublie les peines et les inquiétudes. Pour

ma part, j'ai décidé de penser seulement à l'avenir et de cueillir la joie de chaque jour qui passe, répondit-elle avec un large sourire. Pour l'amour de moi, efforce-toi d'en faire autant. Et attends-toi à une surprise !

8

Une escapade salutaire

Quand il sortit des appartements qu'il n'avait pas quittés depuis plusieurs longs jours, Toutankhamon eut la surprise de voir qu'une multitude de serviteurs allait et venait dans les couloirs du palais, portant jusqu'aux portes extérieures des meubles, des étoffes, de la vaisselle, des jarres d'eau et de bière, des couffins remplis de pain, de viande séchée, de légumes et de fruits. Il constata qu'une noria de chariots les convoyait jusqu'au quai où étaient amarrés plusieurs bateaux. Il y vit notamment un imposant navire de charge et un élégant et fin voilier dont la proue s'ornait de deux yeux magiques.

Quand il rentra de sa promenade, le jeune roi, tout à fait perplexe, demanda :

— Que se passe-t-il, Akhésa ? Pourquoi fais-tu vider le palais ?

— Nous partons en voyage !

— En voyage ? Mais je ne savais pas... Pourquoi veux-tu... ?

— Pour remplir nos obligations rituelles. Visiter chacune des provinces qui composent le royaume et te faire reconnaître comme roi dans chaque temple. Et aussi quitter Thèbes pendant quelque temps, en laissant derrière nous les souvenirs douloureux.

Pendant plus de huit mois, le couple royal explora cette Double Terre dont ils étaient les souverains, depuis la tête du premier nome, l'île d'Éléphantine, jusqu'aux marais du Delta.

Partout, le jeune Pharaon et la grande épouse royale furent accueillis avec joie et ferveur. Leur venue dans les petits bourgs déclencha même un formidable enthousiasme populaire.

Toutankhamon, sur les conseils d'Akhésa, se mit à l'écoute des populations, prêtant une même oreille attentive aux potentats locaux et aux plus petits d'entre ses sujets, aux plus humbles. Akhésa se tint en retrait. Elle observait et, le soir venu, notait soigneusement ses impressions.

Toutankhamon changea considérablement au cours de ce périple. Une infinie galerie de portraits vivants défila sous ses yeux, ce qui lui fit prendre conscience du monde qui l'entourait. Il mûrit, perdit de son indifférence aux affaires de l'État. Il s'émerveilla aussi devant les beautés si variées du pays dont il était responsable. Il fut ébloui par la splendeur fleurie de l'île d'Éléphantine, par l'architecture souriante de Dendéra, le mystérieux sanctuaire d'Abydos où ressuscitait Osiris, la luxuriance des jardins du Fayoum. Il fut fasciné par Memphis, la plus grande ville d'Égypte aux rues animées où l'on croisait nombre d'étrangers.

Le couple se rendit à Guiza pour y voir l'immense nécropole où se dressaient les pyramides des puissants rois de l'Ancien Empire. La rencontre avec le Sphinx, gardien muet dressé à la limite du désert, marqua le point culminant de leur long périple. Quand les clartés orangées du couchant enveloppèrent le couple royal qui cheminait sur le plateau des

71

pyramides sans cesse de contempler l'immense lion de pierre à tête humaine, Akhésa vécut un moment d'exaltation si intense que sa respiration s'accéléra, le souffle lui manqua.

— Qu'as-tu ? demanda Toutankhamon.

— Je suis heureuse, grâce à toi !

— Qu'ai-je fait pour te rendre heureuse ?

— Tu deviens toi-même... grâce à dieu.

Le couple royal gagna ensuite les villes saintes du Delta perdues dans les roseaux et les forêts de papyrus. Ils séjournèrent à Saïs où se trouvait une célèbre école de médecine. Les jardins y étaient si parfaitement dessinés et le climat si doux alors qu'on était au plein cœur de l'été, que Pharaon y goûta un bonheur comme il n'en avait encore jamais connu.

À l'instar de toutes celles qui l'avaient précédée sur le trône, Akhésa fut initiée dans le très ancien temple de la déesse Neit. Elle demeura une semaine entière seule dans une cellule austère et dépouillée, au grand dam de son bouillant époux à qui elle manquait beaucoup. Elle y médita sur elle-même et sur la destinée, se contentant de pain et de bière.

Lorsqu'elle retrouva Toutankhamon, il la prit dans ses bras et la serra très fort en lui disant à mi-voix qu'il ne la laisserait plus jamais le quitter.

À l'aube, ils sortirent anonymement du palais et se promenèrent dans la campagne comme n'importe quels amoureux. Pieds nus dans la rosée, ils s'enivrèrent des couleurs violentes de l'aube, se baignèrent dans un canal d'eau claire et douce où se posaient des canards sauvages, s'amusèrent à plonger et à nager aussi vite qu'ils le pouvaient, s'embrassèrent en bondissant, se rejoignirent sous l'eau verte.

Puis, ivres de fatigue, ils s'allongèrent sur la rive où poussaient des roseaux qui les protégeaient des ardeurs déjà fortes du soleil de plein été.

— Je veux rester ici à tout jamais, Akhésa, dit Toutankhamon les yeux brillants de bonheur. Demeurer à tes côtés, te regarder, t'aimer... Le reste ne m'intéresse pas.

— Le reste, c'est l'Égypte, répondit Akhésa en souriant. N'oublie jamais que nous lui appartenons !

Une série de grognements sourds interrompit leur conversation. Se redressant sur les coudes, il prêtèrent l'oreille dans la direction, tentant de deviner à quoi était dû le bruit inquiétant qui s'approchait. On piétinait les roseaux, on martelait le sol.

Soudain, Akhésa comprit.

— Fuyons ! dit-elle. Vite ! sinon nous serons écrasés !

L'hippopotame, gueule ouverte, fit irruption dans la minuscule clairière. Le monstre fonçait droit devant lui, dévastant tout sur son passage. Toutankhamon avait avec lui sa canne qui était munie d'une forte pointe métallique. Il se dressa devant la bête, prêt à lui barrer le passage. Akhésa le poussa violemment sur le côté. Le roi effleura de la canne l'échine du pachyderme qui, indifférent, poursuivit sa route.

— Pourquoi m'as-tu empêché de l'abattre ? demanda-t-il sur le ton d'une vive irritation.

Cette colère de roi combla d'aise Akhésa. Elle se sentait fière de lui.

— J'ai seulement voulu t'éviter de commettre un sacrilège. N'as-tu pas remarqué sa couleur ?

L'animal était gris-blanc... Toutankhamon comprit. Cet hippopotame femelle était l'animal sacré de la déesse Toueris, protectrice des mères. Seul l'hippopotame rouge, animal du redoutable dieu Seth, pouvait être tué.

— Tu as eu raison, admit-il. J'aurais commis

un acte impie... et jamais nous n'aurions pu avoir d'enfant ! Mais... Aurais-tu renoncé à Aton, le dieu unique ?

— Demain matin, nous rentrons à Thèbes, annonça-t-elle, souriante.

PARTIE II

Les fourberies du clergé d'Amon

9

Une guérison merveilleuse

Horemheb s'inclina profondément devant Pharaon et la grande épouse royale. C'était le premier conseil depuis le retour des souverains à Thèbes et il lui fallait bien se rendre à l'évidence : le jeune roi revenait de son périple à travers le royaume fortement changé. Il portait la couronne bleue et tenait le sceptre, réceptacle de la magie divine, avec une dignité nouvelle. Il semblait, désormais, pleinement conscient de l'importance de son geste.

Le général se redressa, le buste raide, et chercha le regard d'Akhésa. Il fut surpris de voir à quel point elle demeurait lointaine, hiératique, presque sévère. Ces deux-là commençaient à former un vrai couple royal !

— Majestés, j'aurais aimé accueillir votre retour avec de bonnes nouvelles, commença-t-il. Malheureusement, la situation politique n'autorise aucun optimisme. Vous me pardonnerez donc d'être brutal et de parler sans détour. Plusieurs provinces d'Asie ont annoncé que les tributs ne seraient pas versés cette année. De plus, les Hittites continuent de fomenter des révoltes dans nos protectorats du Nord en attendant une occasion pour envahir le delta.

— Que comptez-vous faire ? demanda le roi.

— J'attends vos ordres, Majesté. Ils me sont nécessaires pour réunir une armée puissante et défendre le pays avec efficacité.

La grande épouse royale se leva pour déclarer :

— Vous avez eu tout le temps nécessaire pour organiser la défense de l'Égypte, général. Si l'ennemi se montre toujours aussi menaçant, c'est seulement à cause de votre imprévoyance !

Horemheb s'empourpra avant de devenir très pâle. Un murmure parcourut l'assemblée. Levant la tête, le général vit que Toutankhamon approuvait ce que la reine venait de dire.

— Nous ne déclencherons pas la guerre comme vous persistez à le souhaiter, continua cette dernière. Nous n'accroîtrons pas non plus vos pouvoirs. Pharaon a fait un autre choix.

Tous les regards se portèrent sur Toutankhamon. Le Premier Prophète d'Amon le considéra d'un air hautain où perçait, néanmoins, une nuance de surprise. Horemheb le lui avait affirmé et répété : il avait tout bien en main et il n'y avait aucune surprise à redouter. Or... Le divin père Ay, lui, semblait surtout inquiet : ni Akhésa ni le roi ne lui avaient rien dit de ce qu'ils comptaient faire.

Ce fut au cœur d'un profond silence que le jeune monarque appuya le sceptre magique sur sa poitrine, ce qui annonçait qu'il allait parler solennellement.

— De par la volonté de Pharaon, déclara Toutankhamon, le commandant Nakhtmin est élevé à la dignité de porte-éventail à la droite du roi. De plus, ce même Nakhtmin est nommé chef de l'armée, sous les ordres directs du général Horemheb. Ils sont chargés de la réorganiser et d'assurer la sécurité des Deux Terres. Ils me rendront compte chaque semaine. Ces décisions seront rendues publiques par décret.

Le même silence absolu suivit ces paroles. Pharaon se leva. Suivi d'Akhésa, il quitta lentement la salle du trône. Horemheb demeura abasourdi un long moment. Par quelle manœuvre subtile qu'il n'avait pas vu venir, le divin père Ay avait-il obtenu pareille faveur pour son fils ? Puis il songea que le vieux courtisan n'y était très probablement pour rien. Le coup venait sûrement d'ailleurs, de plus haut. À bien y réfléchir, il portait la marque de celle qui, désormais, gouvernait le pays : une jeune femme qui venait tout juste d'avoir dix-sept ans.

La politique qu'elle avait décidé de mener était, du reste, assez facile à deviner. Il s'agissait de répartir le pouvoir entre des dignitaires qui se neutraliseraient mutuellement et de créer autour du roi une confrérie de confidents dont lui, Horemheb, ne serait plus qu'un membre parmi beaucoup d'autres. Cela, il ne le supporterait pas !

D'abord il y avait eu Maya, puis Nakhtmin. Sans parler de Houy, ce soudard sans cervelle que le roi avait envoyé dans le Nord, pacifier la Syrie après la mort de son roi, le traître

Azirou, et dont on annonçait le retour prochain !

Ce fut la rage au cœur, que le général Horemheb dut assister à la réception des ambassadeurs étrangers par Toutankhamon et Akhésa dans la salle des tributs du palais. Ces dignitaires aux tenues pittoresques leur furent présentés l'un après l'autre par Houy qui les avait escortés depuis les protectorats d'Asie.

Après l'échange des habituelles formules de politesse, les ambassadeurs indiquèrent aux souverains qu'ils étaient venus en vassaux et, plus encore, en partenaires économiques. En termes diplomatiques, cela signifiait qu'ils escomptaient recevoir des contreparties aux marchandises qu'ils avaient apportées avec eux jusqu'à Thèbes et qui, normalement, auraient dû constituer des tributs.

Indigné par cette attitude inacceptable, Houy s'apprêtait à suggérer qu'on exile ces émissaires peu respectueux en Nubie quand une violente douleur lui étreignit le crâne. Les colonnes se mirent à danser devant ses yeux avant de devenir de plus en plus floues pour, finalement, disparaître tout à fait. Un voile obscur l'empêcha de voir. Il se frotta les yeux. En vain. Il fit deux pas en avant et se cogna à un des ambassadeurs qui le retint par le bras pour l'empêcher de tomber.

— Je suis aveugle ! hurla-t-il en se dirigeant au jugé vers le trône. Mon roi, je suis aveugle !

Guidé par un sens mystérieux, le malheureux parvint jusqu'au pied du trône où il s'agenouilla.

Toutankhamon, très affecté par le brusque malheur de son ami, se leva et descendit vers lui.

— Souviens-toi de tes devoirs, lui souffla Akhésa. Agis comme les pharaons ont toujours agi.

Le jeune souverain hésita, faillit revenir en arrière. Finalement, il posa son sceptre sur la tête de Houy.

— Tu as rempli de façon satisfaisante la mission que je t'avais confiée, dit-il. Je fais de toi le porte-éventail à la droite du roi et son messager personnel dans tous les pays étrangers. Houy, fidèle entre les fidèles, toi dont le regard n'a jamais dévié du chemin de Dieu, que la vue te soit rendue.

L'assemblée n'en crut pas ses oreilles. Consternés, le divin père Ay, Hanis et beaucoup d'autres hochèrent gravement la tête pour déplorer ce qui leur apparaissait comme une erreur pitoyable. Le roi n'était certes pas tenu de prendre un tel risque. Il aurait suffi qu'il déplore la brusque cécité de son intendant avant de déclarer qu'il fallait s'en remettre à la volonté des dieux. C'était son aptitude à régner qu'il venait, en un instant, de remettre en cause. S'il échouait à guérir Houy, le trône vacillerait.

Dès que le sceptre reposa sur son crâne, l'intendant sentit un courant de chaleur lui passer par la nuque et se répandre dans sa colonne vertébrale. Elle devint une brûlure insupportable. Il cria. Un feu dévorant envahit son front, consuma ses yeux morts. Un serpent de flammes ondula face à lui, énorme, menaçant. Puis le reptile s'immobilisa, diminua considérablement de taille, ne fut plus qu'un détail dans une masse bleue. Houy distingua la couronne et, au-dessous, le visage de Pharaon qu'illuminait un sourire radieux.

— Je vois, mon roi ! Je vois ! cria Houy.

Un immense brouhaha accueillit cette guérison miraculeuse dont la nouvelle se répandit dans tout Thèbes avec une extraordinaire rapidité puis circula dans l'Égypte entière.

Partout le peuple chanta les louanges du guérisseur suprême bien-aimé des dieux qui avait hérité les dons magiques de ses ancêtres. Et le pays se réjouit, assuré désormais d'être gouvernée par un nouveau grand roi qui saurait se montrer digne des plus illustres de ses prédécesseurs.

10

Un rituel périlleux

L'Asiatique, une plume fichée dans les cheveux, une courte lance à la main, s'avança. Toutankhamon lui faisait face, coiffé de la couronne bleue et habillé d'un simple pagne de cuir blanchi. Akhésa se tenait derrière le roi. Elle portait, sur la tête, une haute couronne formé de plumes d'autruche fixées à un disque d'or encadré de deux cornes de vache en forme de lyre.

Le soleil était haut dans le ciel où il brillait de tout son éclat. La cour du temple était une véritable fournaise. Le divin père Ay qui se tenait près d'Akhésa supportait mal la chaleur : d'abondantes gouttes de sueur lui coulaient sur le front.

Akhésa récitait des formules magiques visant à protéger son époux. Elles n'empêchèrent pourtant pas l'ennemi, un homme grand et solide auprès duquel Toutankhamon semblait un frêle enfant, de lever sa lance en visant la poitrine de son adversaire.

Pharaon leva la main gauche. Elle était armée d'un sabre court à lame courbe. Le geste pétrifia l'Asiatique qui laissa tomber sa lance et fit mine de vouloir s'enfuir. En quelques pas, le roi rattrapa le fuyard, le força à mettre un genou à terre, l'empoigna par les cheveux.

— Ainsi Pharaon, Soleil des Deux Terres, est-il vainqueur des ténèbres ! déclama le divin père Ay.

La première phase du rituel de création du temple était terminée. Les protagonistes du drame sacré purent prendre un peu de repos. Akhésa ne sentait pas la fatigue, elle avait même oublié le poids de la couronne.

Au terme d'âpres négociations avec le Premier Prophète d'Amon, elle avait obtenu que Toutankhamon, malgré son jeune âge, fonde son propre temple, comme chaque pharaon devait le faire. Seulement, pour pouvoir passer outre les objections sur la jeunesse du roi, elle avait dû en accepter la contrepartie : les épreuves physiques imposées par le rituel.

Toutankhamon n'avait accepté qu'à contre-cœur. Il redoutait de ne pas avoir la force physique nécessaire pour aller jusqu'au bout des épreuves. Ses craintes risquaient bien d'être justifiées : à peine le rituel du combat contre l'ennemi sorti des ténèbres était-il fini que le Premier Prophète vint le chercher pour l'épreuve suivante.

Elle devait se dérouler sur la rive occidentale, sur l'emplacement choisi pour le sanctuaire que Maya avait soigneusement délimité. Les souverains et la suite royale s'y transportèrent.

En même temps qu'eux arriva un char qui, en longeant le fleuve, avait soulevé un long nuage de poussière ocre. C'était Horemheb qui le menait. Il arrêta les chevaux devant le couple royal.

Après avoir salué Pharaon selon le rituel, il se mit en devoir de l'équiper. Il lui fit revêtir une cotte de mailles, et enfiler, par-dessus, la cuirasse du dieu faucon Montou, seigneur de la guerre, qui était incrustée d'or et de pierreries. Ensuite, il lui passa au cou un collier de perles d'or et, pour finir, lui remit ses armes : une épée, une dague, un arc et des flèches.

Toutankhamon regarda le char d'apparat tout doré avec appréhension. Ce qui l'inquiétait, ce n'était pas de devoir le conduire. Il avait souvent mené des chars, déjà. Ce n'était pas non plus l'impatience des chevaux que la chaleur rendait nerveux. En réalité, l'enjeu l'oppressait terriblement. Et aussi ces centaines de regards, inquiets ou hostiles, qui demeuraient obstinément posés sur lui. Et puis, et ce n'était pas ce qui contribuait le moins à son malaise, il y avait le sourire du général en chef. Un sourire dont il était difficile de dire s'il était méprisant ou satisfait.

Toutankhamon monta dans le char et prit les rênes en main. Elles passaient au travers d'anneaux fixés au harnais. Il s'en entoura la taille, selon la coutume, de façon à ne pas risquer de les laisser échapper s'il venait à perdre l'équilibre. Le cœur glacé d'anxiété, il chercha le regard d'Akhésa qui l'encourageait de tout son amour.

— Votre Majesté est une montagne d'or illuminant les Deux Terres de son regard de feu, dit le général. Quel autre destin pourrait-elle connaître que le triomphe ?

Toutankhamon perçut l'ambiguïté que contenait la question du général. Mais il n'était plus temps d'hésiter. Il éprouva les rênes : elles lui parurent solides et bien fixées. Le char ne roulerait pas vite. Et, malgré les apparences, l'adversaire qu'il devait affronter n'était pas bien terrible...

Le char s'ébranla vers l'extrémité de la cour où était installée une chicane en pierre. En sortirent deux lions de Nubie, gras et patauds.

L'antique tradition voulait que Pharaon, pour prouver son aptitude au combat, soit capable d'abattre, seul, des bêtes fauves. Amenhotep III avait adouci l'expérience qui pouvait se révéler périlleuse en la réduisant à un combat fictif. Les lions étaient préalablement gavés de nourriture et traités avec le suc d'une plante qui les endormait à demi. De la sorte, ils ne manifestaient aucune agressivité. En plus, les flèches étaient munies de pointes arrondies qui ne pouvaient leur faire aucun mal. Ils ne risquaient donc pas d'être blessés et de chercher ensuite à défendre violemment leur vie. Les pires ennemis du jeune roi allaient être la chaleur et la fatigue, qui risquaient de lui faire manquer sa cible.

Toutankhamon banda son arc et décocha une flèche. Elle frôla la tête du premier lion, un vieux mâle encore surpris d'avoir été tiré brusquement de sa sieste et qui grogna pour la forme.

Toutankhamon rassembla tout ce qu'il lui restait de forces pour bander son arc de nouveau. En tournant la tête, il venait d'apercevoir Akhésa qui tenait le sceptre en forme de fleur de lotus serré contre sa poitrine. Pour elle, pour l'amour d'elle, il irait au bout et triompherait.

La flèche partit. Elle frappa le second lion au flanc. Des cris de joie saluèrent l'exploit : le jeune souverain sortait vainqueur de l'épreuve. Mais les acclamations s'étranglèrent brusquement. Au lieu de se montrer indifférent comme il l'aurait dû, le fauve grogna, rugit et s'élança en trottant vers le char royal.

Le jeune roi, lâchant son arc, voulut sauter à terre. Les rênes l'en empêchèrent ; il avait oublié qu'elles le retenaient. Avec sa dague, il entreprit de les couper. Les chevaux ne lui laissèrent pas le temps d'en venir à bout. Affolés par l'approche du lion, ils partirent au galop. Un long moment, le roi fut ballotté en tous sens, telle une poupée désarticulée, jusqu'à ce qu'enfin, il parvienne à se détacher. Il tomba lourdement dans la poussière. Le lion courut vers lui.

Horemheb ne lui laissa pas le temps d'approcher de sa proie. Deux flèches qu'il tira avec une rapidité et une précision stupéfiante clouèrent le fauve sur place. Touché à la tête, il s'effondra d'un coup sur le ventre. Toutankhamon ne bougeait plus.

Dans le plus grand désordre, on accourut à sa rescousse. Les médecins du palais où on se hâta de transporter le souverain diagnostiquèrent une fracture de la jambe gauche, qu'ils réduisirent, et diverses lésions qui nécessitèrent des pansements et des bandages.

Tout le temps que durèrent ces soins et pendant les trois jours qui suivirent, Pharaon demeura inconscient, oscillant entre la vie et la mort. Puis son esprit revint d'entre les mains de la déesse d'Occident et se rattacha à la terre.

*
* *

Quand Toutankhamon reprit connaissance, Akhésa était assise auprès de lui, à le veiller.

93

La vision de son aimée sembla faire beaucoup de bien au jeune roi. Après un sourire, il ferma de nouveau les yeux. Mais, cette fois, sa respiration était devenue paisible et régulière. Il dormait.

Akhésa alla jusqu'à la fenêtre. La nuit chaude était pleine de parfums qui montaient de la terre qu'avaient arrosée les jardiniers. Elle devina le vol d'une chouette traversant les ténèbres à la recherche d'une proie. Elle entendit battre le cœur secret de la nature, reflet de l'ordre impérissable conçu par Dieu. Elle leva la tête pour contempler les étoiles du ciel d'été.

Elle ne tarda pas à en repérer une qui brillait plus que les autres. La jeune femme eut beau se remémorer ses leçons d'astronomie, elle n'en trouva pas le nom. Il n'y avait pas de doute, cette étoile-là ne faisait pas partie de celles qu'avaient répertoriées les savants. Son étrange clarté l'hypnotisait.

Soudain, elle comprit.

C'était l'âme d'Akhénaton, son père bien-aimé, qui venait lui rappeler qu'elle devait continuer son œuvre. Comblée d'un bonheur indicible par cette révélation, Akhésa posa la main sur son ventre nu. Elle en eut l'intuition, depuis peu, un autre enfant vivait en elle.

Songeuse, elle se dit que ce combat-là, il lui faudrait le gagner aussi : mener à terme cette grossesse qui lui permettrait de donner un fils, un héritier, à Toutankhamon et d'assurer encore plus solidement la double couronne sur sa tête.

11

Une découverte cruciale

Houy et Nakhtmin enquêtaient de concert sur l'incident qui avait failli coûter la vie au roi. Ils étaient d'accord sur ce fait : on avait substitué un fauve dangereux à la bête inoffensive prévue pour le rituel. Cet échange révélait une intention criminelle car il avait nécessité toute une organisation préalable. Il s'agissait d'en retrouver la trace.

Nakhtmin s'occupa des ritualistes chargés de la cérémonie, Houy des fonctionnaires en charge du zoo royal. Ils étaient convenus d'agir avec prudence pour ne pas donner l'éveil aux coupables et se retrouvaient chaque soir dans le temple de Mout pour s'informer mutuellement des progrès de l'enquête.

Ils avaient obtenu la caution d'Akhésa pour leurs recherches. Elle ne croyait pas à la thèse officielle très vite retenue par le divin père Ay, l'ensemble des courtisans et le clergé d'Amon selon laquelle le lion, une bête pourtant paisible et presque domestiquée, était subitement devenu fou.

Plusieurs semaines avaient passé et les deux hommes n'avaient rien trouvé quand, un soir, au temple où ils s'étaient retrouvés, Houy annonça à Nakhtmin, le regard brillant :

— Je crois que cette fois je tiens un indice sérieux.

— Lequel ?

— J'ai eu beaucoup de mal à le découvrir parce que le fait est particulièrement anodin. L'homme chargé de nourrir les fauves est tombé malade et, bien sûr, il a fallu nommer un remplaçant. Personne ne s'est méfié de lui car il jouissait d'une excellente réputation. Sa nomination n'a pas même paru suspecte car il avait l'habitude des lions. Il avait fait partie des surveillants du zoo royal.

— L'as-tu interrogé ?

— Il n'est plus à Thèbes. On l'a envoyé dans une de nos provinces du grand sud, capturer des fauves.

— Quand sera-t-il de retour ? demanda Nakhtmin.

— Il ne reviendra pas. Il a été mangé par un lion.

Nakhtmin hocha la tête d'un air entendu.

— On l'a supprimé pour l'empêcher de parler, c'est clair ! Quel manque de chance ! Il n'y a plus aucun espoir de faire éclater la vérité !

— Pas tout à fait, dit Houy.

— Aurais-tu découvert autre chose ?

— Je le crois, oui. J'ai appris qu'il a été le serviteur de...

Houy se pencha vers le commandant et lui souffla un nom à l'oreille avant d'ajouter, un peu plus fort :

— Je vais tout révéler à la grande épouse royale.

*
* *

Après avoir pris un long bain parfumé, Akhésa dîna légèrement puis gagna sa chambre

99

où elle avait hâte de s'allonger et de sombrer dans un sommeil paisible qui la régénérerait.

En allumant la mèche d'une torchère, elle découvrit un homme qui se tenait, tapi, dans un recoin de la chambre.

Akhésa n'eut pas le temps de prendre conscience de sa peur. Crier ou s'enfuir était indigne d'une reine. Si elle devait rencontrer l'assassin venu lui offrir sa mort, elle ne reculerait pas.

En reconnaissant Horemheb, elle murmura :

— Comment avez-vous osé ?

— Pardonnez cette intrusion, Majesté, mais vous en êtes responsable.

Akhésa fit celle qui ne comprenait pas.

— Voici des mois que Pharaon est malade et que vous, qui régnez à sa place, me refusez une audience privée, expliqua-t-il. Et cela, sans le moindre motif un peu sérieux.

Akhésa ouvrit un coffret à bijoux. Elle posa un diadème sur ses cheveux, orna ses poignets de bracelets d'or, passa des chaînettes précieuses autour de ses chevilles. Ainsi parée, elle avança un fauteuil dans lequel elle s'assit.

— Puisqu'il me faut vous recevoir, dit-elle d'une voix posée, je transforme cette chambre en salle d'audience. Je vous écoute, général.

— Nous vivons dans une fausse paix, Majesté, commença le général. Le pays s'endort dans un bonheur tranquille, continuant à commettre les mêmes erreurs que sous le règne déplorable de votre père.

Peut-être croyait-il qu'Akhésa réagirait à cette grossière provocation. Il en fut pour ses frais : elle ne broncha pas.

Il poursuivit :

— Les Hittites profitent de notre passivité pour avancer pas à pas vers nos frontières.

— Toujours la même vieille histoire, général ! Seulement le roi du Hatti a regretté les incidents qui se sont produits voici déjà trois ans. Depuis, il ne cesse de nous assurer de son indéfectible amitié. Les traîtres ont été châtiés et la situation s'est stabilisée. Le Hatti ne veut pas la guerre !

— Certes non ! Il veut seulement une victoire rapide et sans risque qu'il préparera patiemment aussi longtemps que nécessaire.

La moue que fit la reine montra qu'elle ne croyait pas à ses propos alarmistes. Il insista pourtant.

— Notre armement est insuffisant ! Il faudrait recruter encore, fabriquer de nouvelles armes, construire et équiper de nouveaux navires de guerre.

— Et, immanquablement, attirer l'attention des Hittites qui croiraient à une attaque prochaine de notre part ! Pire qu'une erreur, ce serait une faute !

Horemheb fut irrité du toupet de la jeune femme.

— De quoi parlez-vous ? Vous n'avez aucune expérience. Et que connaissez-vous des Hittites ? Seule la force les impressionne. Il faut porter le fer dans leurs territoires avant qu'il ne soit trop tard !

— Il suffit ! Je n'accepterai plus que vous employiez ce ton avec moi, général. Et sachez-le, jamais Pharaon n'acceptera de faire cette folie que constituerait une attaque contre le royaume du Hatti ! Jamais ! Tenez-le-vous pour dit !

— Soit, Majesté, dit Horemheb avec une sorte de petit salut raide de la tête. Mais je refuse d'être associé au désastre dont vous serez la cause. Vous avez nommé Nakhtmin chef de l'armée. Qu'il remplisse pleinement sa fonction !

— Vous restez néanmoins son supérieur !

— Je n'ai plus l'âge de me contenter de

titres ronflants vides de contenu, Majesté. Je vais donc accepter la proposition du Premier Prophète d'Amon.

— Que vous a-t-il proposé ?

— D'oublier les tâches militaires pour m'occuper des intérêts des temples aux côtés des prêtres.

Akhésa comprit tout de suite la manœuvre. Il s'agissait d'amoindrir l'autorité de Pharaon en renforçant celle du clergé à ses dépens. Si Horemheb réussissait, ce qui était parfaitement possible, le couple royal se retrouverait enfermé entre les murs d'un palais-prison où il exercerait un pouvoir de plus en plus illusoire.

Akhésa se pencha en avant. Elle sembla vaincue par cette menace nouvelle. Horemheb, qui s'était attendu à une révolte, la regarda avec surprise. Admettait-elle avoir perdu la partie ?

— Oublions les affaires de l'État, suggéra-t-elle brusquement de sa voix mélodieuse. Comment dame Mout se porte-t-elle ? Toujours aussi ambitieuse ?

La question surprit tellement le général qu'il eut du mal à répondre. Il bégaya :

— Bien, j'imagine... mais je ne comprends pas...

Il dévisagea Akhésa. Le sourire qu'il vit sur ses lèvres n'était pas celui d'une reine qui vient de perdre le pouvoir. Une sourde inquiétude le gagna.

— Je m'inquiétais de sa santé parce que... dit-elle. Au fait, général, connaissez-vous le sort réservé à ceux qui attentent à la vie de Pharaon ?

— Certes, Majesté ! Mais je ne saisis pas le rapport.

— On a tenté de tuer le roi, continua-t-elle sur un ton glacial. Un homme a substitué un fauve dangereux au lion drogué qui avait été prévu pour la cérémonie. Cet homme a été identifié. Il est mort, accidentellement... à moins, bien sûr, qu'il n'ait été assassiné.

— Il faudra châtier les coupables, répondit évasivement le général. Mais, dites-moi, en quoi mon épouse et moi-même sommes-nous concernés ?

Le regard d'Akhésa flamboya.

— L'homme en question était le fidèle serviteur de la dame Mout qui, comme chacun sait, vous est toute dévouée.

Horemheb crut que la foudre lui perçait le cœur. Il se tut un moment avant de finir par balbutier :

— Je... je l'ignorais, Majesté !

— C'est possible, répondit Akhésa d'un ton presque léger. Le contraire aussi est possible. L'ennui pour vous, c'est que la dame Mout est votre femme. Aucun tribunal ne voudra croire que vous n'étiez pas l'âme du complot. Vous y aviez trop d'intérêt. Toutankhamon disparu, vous deveniez régent et, pourquoi pas, ensuite... Pharaon. Dame Mout s'est vue coiffant déjà la couronne royale.

Horemheb se sentait abasourdi, comme s'il avait reçu une volée de coups de bâton sur la tête.

— Que comptez-vous faire, Majesté ? parvint-il tout de même à demander.

— Rien. Mais en échange de mon silence, j'exige de votre part l'obéissance la plus stricte. Allez, général Horemheb. L'audience est terminée !

12

Une épreuve risquée

Après l'attentat qui l'avait manqué, Pharaon se trouva hors d'état de s'occuper du pays pendant cinq long mois. Le gouvernement reposa tout entier sur les épaules de la grande épouse royale et du Premier ministre, Ay, qui géra avec elle les affaires courantes.

— Si vous le désirez, Majesté, avait proposé le vieux courtisan au début de l'indisponibilité du roi, je suis disposé à vous soulager des tâches les plus écrasantes.

— Vous vous contenterez d'exécuter mes

ordres comme j'exécute ceux de Pharaon, avait répondu Akhésa assez sèchement. Je gouvernerai les Deux Terres jusqu'au rétablissement de Toutankhamon et son retour sur le trône. Au fait, je vous rappelle que j'attends les rapports sur l'entretien des canaux et la mise en silo de la récolte.

Ay s'était retiré sans piper mot.

Au cours de ces cinq mois, Akhésa ne s'accorda pas un jour de repos en dépit de sa nouvelle grossesse. Elle en oublia même de fêter ses dix-huit ans tant elle fut occupée du matin au soir à plancher sur une quantité inépuisable de dossiers.

Gênée par son manque de compétences techniques et administratives, elle se fia à son instinct pour séparer les sujets essentiels des problèmes secondaires. Elle mit surtout le divin père à contribution en lui posant mille questions et en profitant de sa longue expérience.

Ay finit par prendre conscience de s'être laissé dépouiller de son trésor le plus précieux mais il était déjà trop tard. Akhésa n'avait plus besoin de lui. Elle était devenue un homme d'État à part entière, une reine avisée et compétente qu'il fallait servir et admirer.

Un matin, toutefois, alors que le souverain avait presque totalement recouvré la santé, le divin père Ay se présenta très tôt au palais royal. Il était pâle et semblait bouleversé.

— Qu'y a-t-il de si urgent ? demanda-t-elle. Vous êtes hors de votre souffle !

— Une grève, Majesté ! annonça le vieux courtisan en faisant une horrible grimace. Maya, le Maître d'œuvre, a ordonné à tous les artisans de cesser le travail.

— Y a-t-il une raison particulière ? Des retards de paiement ? Ou alors est-ce que le pain et la bière manquent ?

— Non, Majesté, rien de tel n'est à déplorer. Maya veut voir le roi.

— Je m'en occupe, dit-elle simplement.

*
* *

Jamais les gardiens du village des artisans, à l'entrée de la vallée des tombeaux royaux, n'avaient vu d'aussi près une reine. Akhésa se présenta seule devant eux, à l'heure de midi. Vu son rang, ils la laissèrent entrer sans exiger le mot de passe qui permettait d'empêcher les étrangers d'entrer au village.

Elle trouva Maya occupé à graver une scène de fabliau sur un éclat de calcaire. Il ne leva pas les yeux lorsqu'elle entra dans l'atelier.

— J'ai demandé à voir le roi, dit-il sans interrompre son travail.

Elle ne fut pas surprise de l'accueil qu'elle recevait. À d'autres reprises, déjà, elle avait été témoin de la mauvaise volonté de Maya et avait subi sa mauvaise humeur. Elle se souvenait, en particulier, d'une audience qu'il avait demandée quelques semaines plus tôt pour lui déclarer, avec sa façon bien à lui d'aller droit au but :

— Je ne reconnais qu'une seule autorité, celle de mon maître Toutankhamon. Or c'est vous et non le roi qui me donnez les ordres depuis des mois. Dorénavant, je ne travaillerai plus que pour lui.

Elle avait eu beau répondre :

— J'agis en tant que grande épouse royale, au nom de Pharaon. Mes paroles sont les siennes. Vous avez le devoir de vous conformer à mes directives.

Elle avait su qu'elle ne l'avait pas convaincu. Et, en le voyant repartir, l'air buté elle ne s'était fait aucune illusion : il ne céderait pas.

De nouveau, il l'affrontait en face. Elle savait

ce qu'il avait en tête. Il croyait que, par ambition personnelle, elle voulait imposer sa volonté au roi. Lui, il tentait de défendre ce dernier. C'était manifester une fidélité tout à fait touchante, certes mais, aussi, un peu stupide, plutôt dérisoire et, en tout cas, bien gênante.

Le Maître d'œuvre posa son ciseau de cuivre.

— Qu'attendez-vous de moi ? demanda-t-elle.

— Que vous cessiez une bonne fois de vous mêler de politique et que vous laissiez Pharaon gouverner. La grève des ouvriers durera aussi longtemps que vous n'aurez pas décidé de vous consacrer uniquement à vos devoirs privés.

Akhésa réprima un sourire devant la naïveté du propos. Le Maître d'œuvre reprit son outil.

— J'ai une autre proposition à vous faire, dit-elle. Pour vous convaincre de ma sincérité, je veux devenir membre de votre communauté.

— Mais... c'est impossible ! s'écria Maya, stupéfait.

— Vous savez bien que non. Je suis prête à subir l'épreuve de la cime.

Maya la regarda, chercha des arguments à lui opposer, n'en trouva pas. Il ne pouvait lui refuser cette épreuve qui, si elle la réussissait, la ferait entrer dans la confrérie très fermée des artisans sculpteurs et tailleurs de pierre.

— Vous connaissez les risques, demanda-t-il sobrement.

Akhésa approuva d'un signe de tête.

— À ce compte...

*
* *

Akhésa fut laissée seule tout le reste du jour dans une cabane de chantier. On ne lui donna ni eau, ni nourriture. Elle supporta volontiers la solitude et la chaleur. Elle avait hâte de subir l'épreuve à l'issue de laquelle elle entrerait dans la confrérie la plus fermée d'Égypte et gagnerait la confiance de Maya.

Encore faudrait-il en sortir victorieuse. Akhésa avait longuement balancé avant de s'y risquer. En une nuit, elle risquait d'anéantir l'œuvre de trois ans. Elle mettrait même sa vie en jeu. Mais il n'y avait pas d'autre solution. Maya était un homme entier, insensible aux honneurs. Elle devait se battre sur son propre terrain.

Quand le soleil disparut dans l'Occident, deux sculpteurs vinrent la chercher. Ils la dépouillèrent de ses vêtements et la revêtirent d'une robe rugueuse en peau d'agneau. Ils lui remirent une outre pleine d'eau et un morceau de pain avant de la conduire hors du village.

Ils grimpèrent tous trois un étroit sentier sinueux en pente raide. La lune brillait haut dans le ciel, éclairant la montagne et la vallée d'une lumière argentée à la fois douce et angoissante.

Il fallut une heure pour atteindre le pied de la cime en forme de pyramide qui dominait de sa masse inquiétante la vallée des tombeaux.

Là, se dressait une minuscule chapelle dépourvue de porte où pouvait prendre place une seule personne.

— Entrez là, ordonna l'un des sculpteurs. Vous y passerez la nuit. Nous partons, mais nous continuerons de vous surveiller. Attention : ne tentez surtout pas de regagner la vallée, nous serions obligés de vous tuer. Nous reviendrons à l'aube.

L'instant d'après, les deux artisans avaient tourné les talons et dévalaient la pente escarpée avec agilité.

Qui voulait pénétrer dans la confrérie devait passer la nuit sur la cime et affronter les monstres mangeurs de vie. À l'aube, on retrouvait les cadavres de ceux ou de celles qui, en raison de leur indignité ou de leur lâcheté, n'avaient pas résisté aux assauts de ces implacables ennemis invisibles.

Akhésa but un peu d'eau mais elle ne parvint pas à manger. Levant son regard vers le ciel, elle chercha longuement l'étoile contenant l'âme de son père. Elle ne la trouva pas.

Continuant de scruter les ténèbres alentour, elle vit une forme blanchâtre sortir d'un énorme bloc de rocher et se diriger vers l'oratoire.

Terrifiée, Akhésa hurla.

Elle sentit une main se poser sur son épaule gauche.

La forme blanchâtre s'était divisée en plusieurs démons qui avaient pris l'apparence de nains aux dents ensanglantées porteurs de couteaux. Ils l'attaquèrent.

Une étoile filante traversa les cieux. C'était son père, elle en était certaine, qui venait à son secours. Elle se cacha la tête dans les mains et pria.

Une voix emplit l'édifice :

— Je suis la déesse du silence, dit-elle, gardienne de la cime. Je sonde ton cœur. Si tu es un être de vérité, tu n'as rien à craindre de moi. Mais si tu as agi contre la loi de Maât, je te détruirai.

— Non ! hurla Akhésa.

Un visage de femme d'une extraordinaire beauté dansa devant elle en grandissant d'instant en instant. Il se pencha sur elle et la baisa au front. C'était celui de Néfertiti, sa mère.

Akhésa s'évanouit.

Le soleil venait de se lever quand Maya et les deux artisans atteignirent l'oratoire où, jadis, ils avaient subi eux aussi l'épreuve imposée par la déesse du silence. La grande épouse royale gisait au sol, inanimée. Maya s'agenouilla pour poser l'oreille sur la poitrine de la jeune femme.

— Elle est vivante, dit-il. La grève est finie et nous comptons une adepte de plus.

13

Une entreprise criminelle

Deux jours passés au village, à se reposer, suffirent à remettre la reine sur pied. Quand elle quitta la chambre et sortit de la maison pour la première fois, Maya l'accueillit en ces termes :

— Vous voici des nôtres, Majesté !

— J'en suis heureuse. Désormais, vous ne pourrez plus rien me refuser... même si vous ne m'aimez pas plus qu'avant.

— J'admire votre courage, Majesté, mais...

— N'en dites pas plus, Maya ! C'est inutile...

En fait, j'ai pensé... J'ai une commande à vous soumettre. Je veux que vous fabriquiez un trône.

— Pour le roi ou pour vous-même ? demanda le sculpteur plutôt tendu.

— Pour le roi !

Maya fut surpris par la modestie de sa demande.

— Vous le ferez en bois recouvert d'or, poursuivit-elle. Vous y graverez une inscription, sur le dossier extérieur. Elle restera invisible aux courtisans, mais se montrera efficace aussitôt que le magicien aura animé l'objet.

— Une inscription ? Laquelle ?

— Donnez-moi de quoi écrire, je vous prie.

Après que la reine eut quitté le village, Maya lut et relut le texte qu'elle avait rédigé de son écriture ferme sur un éclat de calcaire. Ses pressentiments se confirmaient. Dans une colonne de hiéroglyphes qui demeureraient connus d'elle et de lui seuls, les noms d'Amon et d'Aton seraient associés. Ce dernier serait ainsi présent sur le trône royal et continuerait à exercer en secret une influence magique sur le règne.

Maya savait à présent quel but poursuivait la grande épouse royale. Seulement, il ne pourrait rien révéler à personne. Maintenant que la reine était membre de la confrérie, il lui devait un secret absolu.

Les poings serrés, il adressa une supplique muette à Ptah, le dieu des bâtisseurs, pour qu'elle échoue dans son entreprise et que Toutankhamon ne subisse pas les conséquences de sa folie.

*
* *

Horemheb se reprochait son manque de lucidité. Il en restait persuadé, Toutankhamon ne possédait pas les qualités nécessaires pour devenir un grand roi. Seulement, il avait sous-estimé l'influence d'Akhésa. Elle réussissait à régner à travers son époux.

Pour lui, il ne devait pas se le cacher, le bilan des derniers mois était catastrophique. À cause de la sotte initiative de son épouse, il n'avait plus aucun appui fiable à la cour. Quant au Premier Prophète d'Amon et à sa cohorte de prêtres, il ne se faisait aucune illusion. C'étaient des alliés dangereux qui l'utilisaient au mieux de leurs intérêts et qui n'hésiteraient pas à le lâcher dès que le besoin s'en ferait sentir.

Le pire était qu'il n'arrivait pas à s'enlever Akhésa de l'esprit. Par moments, il se demandait combien de temps encore il aurait la force de se maîtriser et de résister avant de tuer cette femme qui se refusait à son amour, cette exceptionnelle épouse royale... d'un autre que lui, cette reine qui, s'il la laissait faire, aurait un jour la stature d'un pharaon et peut-être, aussi, ses prérogatives.

Tuer Akhésa, rompre le fil de sa destinée, se substituer à la déesse de la mort... et se condamner à la destruction totale dans l'au-delà. Le scribe royal Horemheb, éduqué dans la connaissance des livres sacrés, souffrait des envies criminelles qui l'agitaient. Il devenait étranger à lui-même.

Il ressassait ces pensées morbides quand une convocation lui arriva du palais.

Ainsi Akhésa ne tenait pas sa promesse. Il allait paraître devant un tribunal et sa condamnation s'annonçait certaine. Pour lui, c'était la fin du voyage terrestre ; il allait s'achever dans les conditions les plus humiliantes. N'importe, il ne fuirait pas. En implorant son protecteur, Horus, il trouverait le courage d'affronter dignement sa déchéance.

Nakhtmin l'accueillit à l'entrée du domaine royal avant de l'escorter vers la grande cour à ciel ouvert. Le général fut surpris. Il s'attendait à être mené directement au tribunal. Il fut encore plus étonné de découvrir des courtisans, des officiers, des dames vêtues de leurs plus belles robes, des serviteurs versant du vin et de la bière.

— Veuillez vous placer au centre de la cour, général, lui demanda Nakhtmin.

Une immense clameur salua l'apparition du couple royal à la fenêtre principale du palais. Le roi et la reine portaient une couronne bleue. Le général s'inclina.

Toutankhamon leva le bras pour réclamer le silence.

— Nous avons décidé de récompenser notre fidèle serviteur Horemheb, déclara-t-il. En tant que scribe royal et général, il protège les Deux Terres du malheur. Puisque nous sommes particulièrement satisfaits de lui, nous lui donnons aujourd'hui cinq grands colliers d'or.

Cinq serviteurs portant les cinq colliers vinrent se prosterner devant lui et le roi les passa au cou du général impassible tandis que résonnaient la musique et les chants.

Le caractère exceptionnel de cette récompense n'échappait à personne et les honneurs accordés au général allaient faire des envieux.

Horemheb chercha le regard d'Akhésa. Elle observait l'horizon, lointaine et mystérieuse. Avec un génie manœuvrier inattendu chez une femme aussi jeune, elle venait de le placer en porte à faux. Si, désormais, il n'apparaissait pas comme un chaud partisan du roi, la cour ne manquerait pas de le taxer d'ingratitude.

*
* *

La dame Mout n'avait pas assisté à la cérémonie célébrée en l'honneur de son époux. Elle avait prétexté une violente migraine pour s'en dispenser.

Elle avait su séduire le général par sa distinction innée et une réelle beauté. Il appréciait aussi son ambition de femme riche issue de la vieille noblesse qui voulait absolument voir son mari occuper les plus hautes fonctions de l'État. Une partie de lui-même pouvait même comprendre, sans l'admettre, qu'elle ait tenté de faire disparaître un petit roi falot. Mais, en même temps, son indulgence cynique faisait souffrir. Admettre, même du bout des lèvres, un acte aussi méprisable, le faisait se considérer comme un être vil et méprisable

Il était assis au jardin, à faire jouer les colliers dans le soleil quand dame Mout parut, visiblement hors d'elle. Elle lui arracha les bijoux des mains et les jeta à terre.

— Es-tu devenu fou ou aveugle, Horemheb ? Tu t'amuses avec ces breloques ! Ne comprends-tu pas que tu t'es fait prendre au piège ?

Le général se leva et l'enlaça.

— Nous devons temporiser, Mout.

— Non. Plus les mois passent, plus le pouvoir du couple royal devient effectif. L'heure est à l'action !

Un cygne passa sur le bassin en traçant un sillon argenté. Des singes jouaient à se poursuivre dans un palmier en poussant des cris aigus.

— À l'action ? Suggérerais-tu d'attenter à la vie de Pharaon ? Ou peut-être... peut-être l'as-tu déjà fait.

Le ton était dur, ce qui ne troubla pas dame Mout. Elle le considéra sans répondre, avec un sourire satisfait

— C'est cela ? Tu l'as fait ? La substitution du lion, c'était ton idée !

Dame Mout haussa les épaules.

— J'ai juste essayé de rendre ridicule cet enfant qui se prend pour un roi ! Je voulais montrer qu'il est incapable de faire face au danger.

— Et si le lion l'avait...

— Tu étais là, mon cher époux ! Je savais que tu l'abattrais avant qu'il ne puisse atteindre le... roi !

Mout était impressionnante. Horemheb ne trouva pas le courage de lui avouer qu'Akhésa savait la vérité sur cet attentat manqué, ce qui le réduisait à sa merci.

Une fois encore, il s'en tira à sa manière habituelle :

— Mon devoir est d'obéir, dit-il, pas de me dresser contre Pharaon. Je te conseille d'agir de même.

14

Un voyage inopportun

Un fin bateau équipé d'une voile blanche emportait le couple royal en Nubie. Quand le fidèle Houy l'avait suggéré, ce voyage de convalescence vers les terres du Sud avait tout de suite enthousiasmé Toutankhamon. Akhésa, fatiguée par sa grossesse, aurait voulu le dissuader de partir mais le roi était si heureux à l'idée de changer d'air et de paysages qu'elle avait renoncé à lui en parler, gardant pour elle les douleurs sourdes qui, à nouveau, lui déchiraient le ventre.

Le jeune homme s'émerveillait à chaque étape du voyage. Village, forteresse, marché, temple, tout lui semblait neuf et digne d'intérêt. De son côté, Akhésa apprenait à aimer ce pays sans contrastes où les rayons d'Aton frappaient la terre avec une insoutenable violence. Des heures durant, elle fixait ces étendues désertiques où l'homme n'était qu'un hôte passager.

Ce fut en plein midi que, seule sur le pont du navire d'où la chaleur avait chassé tous les autres, qu'elle conçut deux projets. L'un concernait Houy, l'autre son père.

Elle parla tout de suite du premier à Toutankhamon qui l'approuva aussitôt sans réserve. Le second comportait tant de dangers qu'elle préférait les assumer seule. Si elle échouait, Pharaon demeurerait hors de cause.

Le cortège royal parvint au cœur du grand Sud où il découvrit le plus beau de ses temples : « Celui qui apparaît dans l'harmonie universelle. » C'était l'œuvre d'Amenhotep III. L'endroit était désolé et silencieux. Seul un très petit nombre de prêtres y vivait. L'édifice entier s'élançait vers le ciel bleu turquoise avec une puissance sereine qui apaisait l'âme au premier regard.

— C'est le lieu que je préfère en Nubie, dit Houy au moment où il y entra avec le couple royal. Pouvoir s'y recueillir est un don du ciel.

Ils progressaient dans la cour principale quand l'intendant eut la surprise de découvrir deux trônes protégés par un dais. Le soleil déclinait, teintant les pierres d'une ocre chaude.

Des serviteurs parurent, porteurs des couronnes, des sceptres et de tous les symboles du pouvoir. Deux ritualistes passèrent à Houy une robe blanche plissée et l'amenèrent au pied des trônes sur lesquels le roi et la reine étaient allés s'asseoir.

— Toi qui règnes sur les Deux Terres, déclara l'un d'eux à l'adresse de Toutankhamon, voici que t'est présenté ton serviteur, Houy.

— J'ai prié, répondit le roi, et les dieux m'ont inspiré. Depuis des années, Houy maintient la Nubie dans le giron de l'Égypte. Grâce à lui, elle nous offre ses trésors. Nous avons décidé de lui conférer aujourd'hui le titre de vice-roi de Nubie.

Un ritualiste remit à Houy l'anneau d'or et le sceau qui étaient les symboles de sa charge.

Le nouveau vice-roi de Nubie demeura sans réaction, stupéfait de bonheur et de gratitude.

Akhésa lui offrit un bouquet de lys en disant :

— Puisse votre province fleurir entre vos mains !

Houy se reprocha d'avoir mal jugé cette femme en qui il venait de deviner l'instigatrice du plus beau jour de sa vie. Il s'était méfié d'elle, il avait eu tort.

La fête qui suivit fut des plus réussies. On tua un bœuf gras, on fit vivre une nouvelle statue de Pharaon à l'image d'Amon. Sous le chaud soleil de Nubie, le bonheur semblait sans nuage.

Et puis le voyage si bien commencé tourna au véritable cauchemar. Le voilier les ramenait vers Thèbes quand Akhésa tomba malade. Du sang coula d'elle en quantité tandis que son ventre la faisait hurler de douleur dans la nuit chaude.

Les médecins parvinrent à la sauver.

Leur verdict, toutefois, déchira le cœur de Toutankhamon : Akhésa ne pourrait jamais avoir d'enfant. Une nouvelle grossesse lui était absolument interdite car elle mettrait sa vie en danger.

Le retour à Thèbes se fit dans les larmes et la désolation. Sa farouche volonté de vivre permit cependant à la reine de se rétablir rapidement. Et, peu à peu, elle comprit pourquoi les dieux lui interdisaient d'avoir un enfant. C'était parce qu'elle devait se consacrer à Toutankhamon et à lui seul. En lui dédiant sa beauté, sa force et son amour, elle ferait surgir en lui Pharaon. Plus tard, il prendrait une épouse secondaire qui lui donnerait des descendants. Et elle se chargerait de choisir dans le nombre celui qui lui succéderait. Elle saurait bien s'en faire un fils, bien plus à elle que s'il était issu de sa propre chair !

*
* *

Dans une salle reculée du temple de Karnak, le Premier Prophète d'Amon avait réuni ses quatre principaux collègues. De ces cinq hommes dont le pouvoir occulte était immense, pas un n'avait moins de soixante ans. Ils avaient pris place sur des tabourets à trois pieds et, dans la pénombre, ils se ressemblaient avec leur crâne rasé et leur visage creusé de rides.

— Le couple royal ne se comporte pas tout à fait comme nous l'avions prévu, dit le Deuxième Prophète en brisant un long moment de silence.

— Le fait est qu'ils ne pouvaient pas rester éternellement des enfants, dit le Troisième Prophète. Je vous avais prévenus. Aujourd'hui, ils commencent à prendre conscience de leurs pouvoirs. Demain, ils voudront les exercer pleinement.

— J'en suis persuadé, dit le Premier Prophète, Pharaon et son épouse sont restés fidèles à la religion d'Aton. En honorant Amon, ils jouent la comédie !

— C'est intolérable, s'écria le Troisième Prophète. Il faut intervenir !

Le Quatrième et le Cinquième Prophète l'approuvèrent gravement d'un hochement de tête.

— Si le couple royal était sincèrement dévoué au dieu de Thèbes, nous pourrions faire avec et les accepter, reprit le Premier Prophète. Mais c'est Aton qui réside dans leur cœur !

— Il demeure que nous n'en avons pas la preuve formelle, objecta le Deuxième Prophète. Il s'agit de ne pas commettre une erreur !

— Eh bien ! trouvons-la, cette preuve ! dit le Premier Prophète. Il suffira de leur tendre un piège et de voir comment ils réagissent. Ensuite, nous prendrons une décision. Qui sera irrévocable !

*
* *

Les astrologues avaient annoncé que l'été serait caniculaire et ils ne s'étaient pas trompés. Dès le matin, dans le palais blanc écrasé de soleil, la chaleur était torride. Seul, le fleuve offrait encore un havre de relative fraîcheur. Aussi, sitôt après avoir célébré le culte du matin, Toutankhamon et Akhésa étaient-ils montés dans une barque légère pour faire une promenade sur l'eau.

Le roi maniait habilement la longue rame décorée d'un œil magique. Des canards s'envolèrent à l'approche de l'esquif. Assise à l'avant, Akhésa laissait nonchalamment tremper ses mains dans l'eau à peine plus fraîche que l'air.

En tournant la tête, elle vit une barque qui se dirigeait vers eux. Elle la montra au roi. À son bord, plusieurs soldats ramaient avec énergie.

Quand elle fut assez proche, ils reconnurent

Nakhtmin qui, debout à l'avant, ne tenait pas en place à force d'impatience.

— Je dois informer Vos Majestés d'événements très graves ! lança-t-il dès qu'il fut à portée de voix.

Il venait juste de recevoir des nouvelles de la cité du soleil. Désertée voilà plus de deux ans par les dignitaires de la cour, les artisans et les commerçants, elle s'était vidée peu à peu de tous ses habitants. Seuls restaient sur place, désormais, des policiers chargés d'empêcher les bédouins de dégrader les temples et de mettre à sac les villas des nobles.

Or ces policiers s'étaient révélés inefficaces... Des pillards avaient déjoué leur surveillance. Ils avaient pénétré dans le tombeau royal et profané la dernière demeure d'Akhénaton, de Néfertiti et de leur seconde fille. Selon une rumeur qui semblait fiable, la momie du roi avait été endommagée mais sauvée in extremis par des archers.

En entendant ce récit, Akhésa se mit à trembler de tous ses membres.

— Mon père, parvint-elle à balbutier. Sa momie, où est-elle ?

— D'après mes informations elle se trouve

sous surveillance dans le poste frontière sud de la cité. Mais il faut que vous sachiez aussi...

À l'évidence, il ne trouvait pas la force d'en dire plus long.

Ce fut Toutankhamon qui, après un moment de silence, ordonna :

— Parle, Nakhtmin ! Qu'y a-t-il d'autre ?

— Le général... Horemheb... Il a donné un ordre monstrueux... Celui de la détruire !

15

Un piège diabolique

Toutankhamon supplia Akhésa de ne pas intervenir. Il lui représenta qu'un décret détaillé revêtu du sceau royal suffirait pour que la momie d'Akhénaton soit apportée à Thèbes. Là on lui trouverait aisément une nouvelle demeure d'éternité.

Mais la grande épouse royale connaissait trop bien les lourdeurs de l'administration et la haine que vouaient les prêtres d'Amon au roi hérétique. Les archives s'entasseraient sur les archives et la dépouille mortelle pourrirait dans la solitude et l'oubli. Aussi décida-t-elle d'agir tout de suite, en personne et dans la plus grande discrétion.

Accompagnée de sa servante nubienne et de quelques serviteurs, elle partit de nuit sur un bateau de commerce. Elle était résolue à utiliser le même procédé discret pour rapporter avec elle la dépouille mortelle de son père à Thèbes.

Grâce à un vent favorable, le voyage de la reine fut rapide. Il se déroula sans encombre. Le bateau de commerce croisa des vaisseaux de la police maritime qui ne lui prêtèrent aucune attention.

Quand elle fut en vue de la cité du soleil, Akhésa sentit son cœur se serrer. Elle n'avait rien oublié des temples ensoleillés, des palais fleuris, des cris d'un peuple en joie acclamant le roi et la reine.

Elle ne voulut pas revoir les ruines d'un rêve. Par bonheur, le soleil déclinait sur l'horizon, laissant les ténèbres envahir la capitale déchue où ne rôdaient plus que des ombres.

Quand la jeune femme se présenta au poste frontière sud, la nuit était tout à fait tombée. Elle comptait sur sa seule autorité pour se faire obéir des archers. Elle fut surprise de n'en trouver que deux, des vétérans aux jambes raides qui, en la voyant arriver, ne se saisirent même pas de leurs armes.

— Je suis la grande épouse royale, déclara-t-elle d'un ton qui fit plier l'échine aux vieux soldats. On a déposé ici un sarcophage, n'est-ce pas ?

— Non, répondit l'un des vétérans d'une voix pâteuse. Juste une caisse à moitié pourrie.

Akhésa entra dans le poste frontière, un bâtiment, trop vite construit et mal entretenu qui commençait à se délabrer. Elle traversa des chambrées malodorantes et trouva la caisse dans un réduit où elle était abandonnée avec des arcs et des flèches brisés.

Ainsi, la momie d'un roi avait été arrachée au tombeau et abandonnée dans cet endroit sordide ! Après avoir détruit l'œuvre d'Akhénaton, des scélérats plus vils que des hyènes tentaient de lui arracher son support d'éternité en sorte que son âme erre à jamais dans les ténèbres du monde inférieur.

Folle de rage, Akhésa ferma les yeux, souleva le couvercle de la caisse et, se préparant à découvrir un horrible spectacle, les rouvrit lentement.

La caisse était tout ce qu'il y a de plus vide.

Des pas résonnèrent derrière la grande épouse royale. Ceux d'un vieillard qui rythmait sa marche hésitante en frappant le sol de sa canne.

— Vous avez commis une faute grave, Majesté, dit, de sa voix caverneuse, le Premier Prophète d'Amon, grand prêtre de Karnak.

*
* *

Horemheb travaillait beaucoup. Officiellement commis à des tâches subalternes, il n'en conservait pas moins la pleine confiance des officiers et des soldats. De plus, les scribes occupant les postes clés étaient tous ses amis. Pourquoi acceptait-il d'être tenu à l'écart du pouvoir ?

Il obéissait à Toutankhamon comme il avait obéi à Akhénaton. Servir le roi lui apparaissait comme un devoir auquel il ne pouvait pas se soustraire. Il y avait aussi Akhésa... Akhésa qu'il aurait dû éloigner, combattre, détruire et qu'il préservait en choisissant l'immobilisme.

Il s'était isolé dans un pavillon au cœur du jardin de sa villa thébaine. Ses secrétaires lui apportaient en quantité des papyrus relatifs aux affaires du pays.

En constatant que la main fine qui lui tendait un nouveau rouleau n'appartenait pas à l'un d'eux, le général leva la tête.

Akhésa se tenait devant lui, l'air furieux.

— Personne ne vous a annoncée, s'étonna-t-il.

— Preuve que votre jardin est mal gardé !

— Que me vaut l'honneur de votre visite, Majesté ?

— Cessez de faire l'innocent, général !

Akhésa l'observa. Il semblait ne pas savoir les raisons de sa colère. Feignait-il ou se pouvait-il qu'il ne sût pas ?

Elle expliqua :

— Ordonner de profaner la sépulture de mon père et de détruire son corps est indigne de vous, général !

Horemheb blêmit.

— Je n'ai jamais donné aucun ordre de ce genre ! dit-il. J'ai servi Akhénaton avec respect, fidèlement. Aujourd'hui, j'obéis au roi légitime. De toute ma vie, je n'ai jamais commis un acte dont j'aurais à rougir !

Le général ne cilla pas quand Akhésa planta son regard dans le sien.

139

— Le Premier Prophète d'Amon m'aurait menti, dit-elle sur un ton incrédule. Quel intérêt y aurait-il ?

Il savait bien, lui, quel intérêt le clergé d'Amon avait à faire croire au roi que son général en chef complotait contre lui, à les monter l'un contre l'autre, à provoquer l'irréparable.

— C'est possible, après tout, ajouta-t-elle avant qu'il ait le temps de répondre.

Elle avait parlé avec une froideur qui lui glaça le sang. Puis, sans hâte, elle repartit par le jardin.

Horemheb la regarda s'éloigner. Elle devenait reine, une de ces souveraines passionnées dont le caractère s'affirmait avec la pratique du pouvoir. Il songea que sa marge de manœuvre se faisait très étroite. Le clergé d'Amon l'avait manipulé alors qu'il se croyait le plus fort. Les prêtres ne se souciaient pas de lui. Ils voulaient seulement détruire le souvenir de l'hérétique et accroître leur puissance. Pour parvenir à leurs fins, ils ne reculeraient devant rien. Ils iraient jusqu'à s'allier au couple royal. Une alliance qui se ferait à ses dépens !

*
* *

140

De retour au palais, Akhésa prit le temps d'avaler une coupe de lait au miel et de vérifier sa coiffure dans un miroir avant de donner l'ordre qu'on fasse entrer Hanis qui l'attendait. Le diplomate venait lui donner sa leçon de langues. Elle avait beaucoup progressé depuis ses débuts dans la cité du soleil : le hittite, le syrien et le phénicien n'avaient presque plus de secret pour elle.

Quand Hanis entra, elle comprit qu'elle ne pourrait pas travailler. Elle était trop préoccupée par la question qui l'obsédait : Horemheb avait-il dit ou non la vérité ?

— Pas de leçon aujourd'hui, annonça-t-elle à son professeur. Je ne suis pas d'humeur à me concentrer.

— Qu'y a-t-il qui vous chagrine, Majesté ? Ne vous a-t-on pas laissé voir la momie de votre père ?

— Si. Le Premier Prophète a fait ce qu'il m'a promis. Elle repose dans la vallée des rois où elle est gardée en permanence. De ce côté-là, je suis à peu près tranquille.

— De mauvaises nouvelles de Nubie, alors ?

— Non. Depuis que Houy nous a fait part de cette révolte, plus aucune nouvelle !

— Houy est fiable et très compétent ! Ce n'est pas la première fois qu'il doit se battre !

— Il n'empêche que je suis assez inquiète, répondit Akhésa. S'il n'écrase pas la sédition dans l'œuf, si la révolte se propage à toutes les régions du Sud, l'approvisionnement en or cessera. Le précieux métal manquera pour les temples et les prêtres ne manqueront pas d'en rendre le roi responsable.

Elle était lucide et montrait qu'elle avait assimilé ses leçons, se dit Hanis. Inutile, en effet de se cacher la vérité : Toutankhamon et Akhésa étaient à la merci de la révolte des tribus nègres.

*
* *

La journée était torride. La chaleur de l'été réduisait les travaux des champs à leur plus simple expression. Les paysans récoltaient les épis mûrs et dorés qu'ils coupaient haut sur la tige à l'aide d'une faucille. Ils buvaient à petites gorgées de l'eau fraîche de leurs outres et s'accordaient de longs moments de repos à l'ombre d'un tamaris ou d'un acacia.

Toutankhamon avait entraîné Akhésa sur les hauteurs dominant le temple construit par la reine Hatchepsout. S'aidant d'un bâton, le jeune roi avait ouvert le chemin, chassant des vipères qui, dérangées, se réfugièrent sous des roches brûlées par l'implacable lumière. Elle l'avait rarement vu aussi exalté.

Ils franchirent une profonde crevasse et s'arrêtèrent sur un promontoire. La vue était si admirable qu'ils retinrent leur souffle. Le temple de la reine-pharaon, la beauté de ses jardins, le vert de la bande étroite des cultures entre le désert et le Nil... C'était l'Égypte aimée des dieux, la terre sacrée occupant le centre de l'univers. Akhésa éprouvait un formidable sentiment de puissance. Elle n'avait jamais vu le pays – son pays – de si haut. Nulle splendeur ne pouvait lui être comparée.

— J'ai découvert cet endroit quand j'étais enfant, dit Toutankhamon. Je m'y réfugiais pour échapper aux leçons... Et maintenant, je vais te montrer un paradis.

Se collant contre la paroi et avançant avec prudence pour ne pas glisser, les deux jeunes gens progressèrent pendant quelques mètres avant d'apercevoir l'entrée d'une grotte. Toutankhamon s'y engouffra le premier en tenant Akhésa par la main.

Il régnait là une fraîcheur délicieuse. Autour d'un minuscule lac dont l'eau était aussi cristalline qu'une pierre précieuse, le sol était couvert d'un tapis de mousse doux aux pieds. Le bruit régulier de l'onde courant sur les pierres apaisait toutes les inquiétudes. Akhésa se sentit envoûtée. Le contraste entre le domaine torride du soleil et cet univers secret où l'on n'osait pas élever la voix était sidérant.

Avec délectation, elle se plongea dans la source, offrant son corps à la magie de la déesse cachée dans cette eau qui surgissait tout droit de l'océan d'énergie entourant la terre.

16

Un acte criminel

Sur le toit du grand temple, le Premier Prophète observait le ciel en compagnie des astrologues qui déchiffraient dans les étoiles la destinée de Pharaon. Cela faisait dix ans qu'il ne s'était pas trouvé sous les étoiles en leur compagnie. Le vieillard réclama les conclusions des savants et leur intima l'ordre de garder secret ce qu'ils avaient vu dans les astres. Puis il leur demanda de s'en aller.

Le Premier Prophète avait besoin d'être seul face aux dieux. Les décisions qu'il avait prises lui pesaient. Jamais il n'était intervenu aussi directement dans les affaires de l'État. Mais le couple royal lui avait-il laissé le choix ? La reine tenait le roi sous sa coupe. Et elle était restée fidèle à la mémoire de son père et à son hérésie, scellant ainsi son destin et celui du souverain.

Le vieux prêtre songea qu'il comparaîtrait bientôt devant le tribunal d'Osiris. C'est au juge de l'au-delà qu'il aurait à rendre des comptes. Il ne redoutait pas ce moment. N'avait-il pas le devoir de détruire les ennemis d'Amon, le dieu qui faisait la grandeur de l'Égypte ?

Dans la clarté lunaire se détachaient les façades des temples et les colonnades. Ici, tout était sérénité. Sans doute parce que les hommes se taisaient et que, seuls, les hiéroglyphes gravés dans la pierre d'éternité laissaient entendre leur voix secrète.

— Trop tard ! marmonna le Premier Prophète. Il est trop tard pour reculer.

*
* *

Akhésa venait à peine de s'endormir enfin après une nuit passée à chercher en vain le sommeil. Des cris la réveillèrent en sursaut. Aussitôt, sa servante entra dans la chambre les cheveux en désordre, les yeux fous,

— Maîtresse ! lança-t-elle, c'est horrible ! Il faut y aller tout de suite !

— Aller où ça ? Explique-toi !

— Dans la vallée des tombeaux !

Akhésa fit appeler Nakhtmin. À la tête d'une escorte, il la mena à la vallée où étaient enterrés tous les grands souverains qui avaient fait la gloire de Thèbes. Une fois là, elle se hâta vers un endroit d'où s'élevait une fumée noire. Elle dut alors accepter l'effroyable réalité : la sépulture où était déposée la momie d'Akhénaton venait d'être incendiée.

L'enquête sur cet incendie volontaire dura plusieurs jours. Akhésa lut avec attention les rapports de Nakhtmin qui était chargé de coordonner les interrogatoires. Ils établissaient que le drame s'était produit en fin de nuit. Quant au coupable, aucun artisan n'était accusé formellement. L'un d'eux, par négligence, suggéraient les rapports, avait dû oublier une torche allumée. La flamme avait gagné tout le tombeau, détruisant la momie du pharaon hérétique.

147

On la prenait vraiment pour une idiote ! Depuis son initiation, elle savait que les artisans utilisaient des mèches spécialement conçues pour éclairer sans dégager de fumée. Vu leur prix très élevé, elles étaient collectées et rangées avec soin au terme de chaque journée de travail.

Il s'agissait bel et bien d'un incendie criminel. Et elle devinait quelle main l'avait allumé. Une main scélérate au service du Premier Prophète. Qui d'autre, en effet, que le clergé d'Amon aurait pu être assez cruel pour s'acharner sur le corps d'un ennemi disparu ?

Elle eut le sentiment d'avoir perdu son père pour la seconde fois. Sans lui, sans la présence de son corps de lumière veillant sur le pays depuis les ténèbres du tombeau, elle ne se sentait plus la force de lutter contre ce clergé aux mille yeux et aux mille oreilles.

*

* *

Les courtisans étaient réunis au palais alors que le jour se levait à peine. Ils n'en revenaient pas d'être convoqués à une heure aussi matinale. Aussi les rumeurs allaient-elles bon train :

148

le roi partait pour le Sud, la grande épouse royale était morte subitement, le cadavre du vice-roi Houy venait d'arriver de Nubie, affreusement mutilé...

Le Premier Prophète d'Amon était présent aussi. Il avait pris place dans un fauteuil, au pied des marches de l'estrade sur laquelle étaient installés les trônes.

Le roi et la reine parurent. Toutankhamon portait la couronne bleue et serrait dans la main droite le sceptre du berger. Les fards masquaient son teint pâle. Akhésa avait renoncé à tout maquillage. Vêtue d'une longue robe de lin plissée, les cheveux tirés en arrière, elle était l'image même de la tristesse.

Sur un signe de pharaon, les gardes ouvrirent la porte. Des cris d'admiration éclatèrent lorsque s'avança un Nubien tenant en laisse une petite girafe, puis deux autres, conduisant des bœufs nains, et d'autres encore, en grand nombre, portant des peaux de léopard ou d'antilope, des parasols, des vases remplis d'or et de jaspe, des tabourets pliants, des défenses d'éléphant. Tous déposèrent les cadeaux aux pieds du couple royal.

Entra le vice-roi de Nubie, le front haut, qui vint s'incliner devant les souverains.

— Pharaon est un lion puissant qui ignore la défaite ! dit-il d'une voix forte. J'ai la joie d'annoncer que la révolte est matée. L'or continuera à affluer pour orner les murs des temples et les statues des dieux.

Des vivats saluèrent la bonne nouvelle. Le monarque se leva, descendit de l'estrade et passa au cou de son fidèle ami trois colliers d'or.

Il fallut ensuite peu de temps pour que la liesse qui s'installait au palais gagne aussi les rues avoisinantes, les quartiers populaires et les quais où on déchargeait des cages contenant des panthères, des caisses remplies d'épices et des sacs d'or.

Ce n'était pas seulement Houy qui triomphait, mais aussi et surtout Toutankhamon. Ce premier succès militaire prouvait qu'Amon le protégeait. Il devenait vraiment le maître des Deux Terres.

17

Un pays né du fleuve !

Horemheb entra dans la partie secrète du temple. Comme tout Égyptien de haut rang, il venait, chaque année, faire retraite dans le lieu saint. Il quittait le monde, oubliait le quotidien, s'immergeait dans le sacré. Il aimait ces périodes d'isolement qu'il passait dans une petite maison au bord du lac sacré où, en compagnie des prêtres, il se purifiait à l'aube. En l'absence de tout serviteur, il passait son temps à lire des textes religieux ou à se promener dans les salles pour déchiffrer les inscriptions gravées sur les murs.

En voyant le Premier Prophète d'Amon assis devant la petite maison, Horemheb sut tout de suite qu'il devait renoncer à la paix qu'il avait espéré trouver là.

— Pardonnez cette rencontre peu protocolaire, commença le vieillard, mais il faut oublier l'étiquette quand les circonstances l'exigent. Or nous sommes au bord de l'abîme. Vous en êtes conscient ?

— Oui, admit Horemheb. Mais je suis le serviteur de Pharaon. Mon rôle consiste à obéir à ses ordres.

— Et si vous cessez tout à fait d'en recevoir ?

— Dans ce cas, je viendrai m'installer dans ce temple pour m'éloigner d'un monde devenu hostile.

Un sourire anima le visage ridé du Premier Prophète.

— Ne vous mentez pas à vous-même, général ! Vous êtes né pour le pouvoir. L'ambition vous poursuivra partout où vous irez. Vous avez l'étoffe d'un roi. Pourquoi renoncer à cette fonction sublime ?

— Je n'ai pas à y renoncer. Un couple jeune est monté sur le trône. Pourquoi s'interroger sur l'avenir ?

— Parce qu'il est entre nos mains. Les vôtres et les miennes. Le conseil des Prophètes s'est réuni, général. Il a décidé de vous aider à reconquérir la position que vous avez perdue. En attendant mieux...

— Qu'attendez-vous de moi en échange ?

— Toutankhamon est un roi faible. Nous pourrions en faire un allié s'il n'était affligé d'un irrémédiable défaut : être tombé amoureux d'une hérétique.

Horemheb sursauta.

— N'a-t-elle pas montré sa fidélité à Amon ?

— Elle possède une arme que vous maniez mal : la duplicité. Pour l'heure, elle attend. Mais dès qu'elle aura percé tous les secrets du gouvernement, elle abattra la puissance d'Amon et fera resurgir la religion d'Aton. L'hérésie envahira à nouveau le pays, le condamnant à la déchéance. Nous n'avons pas le droit d'accepter cela.

Horemheb songea que le prêtre avait raison. Mais se ranger de son côté, c'était perdre Akhésa à jamais.

— En alliant nos expériences, nous pouvons sauver l'Égypte, général. Amon vous demande votre bras. Acceptez-vous de le mettre à son service ?

— Quelle est votre stratégie ? demanda le général au Premier Prophète d'Amon.

*

* *

Akhésa ne parvenait pas à sortir de son abattement. Un matin qu'elle lui sembla encore plus désabusée que d'habitude, Toutankhamon la prit dans ses bras et lui dit avec toute la tendresse dont il était capable :

— Akhésa, ton père est loin. Vis pour lui, vis pour nous, vis ! C'est ainsi et ainsi seulement que tu préserveras sa mémoire. Si tu renonces à lutter, les prêtres d'Amon deviendront tout-puissants.

— Mon père a combattu les prêtres et il a échoué, répondit-elle. Nous ne réussirons pas davantage.

— Tu seras plus prudente, maintenant que tu vois clair dans leur jeu ! Et je serai à tes côtés...

Il était parvenu à lui arracher un sourire.

— Nous allons sortir du palais, Akhésa, sortir de Thèbes ! Notre peuple impatiemment attend la crue. Nous devons la lui offrir !

Ils quittèrent le palais en chaise à porteurs avec une escorte réduite. Le soleil n'avait pas encore paru.

Le premier à les accueillir fut un maître de domaine ; il commençait à procéder au recensement quand le couple royal arriva près de son bureau dressé au milieu d'une palmeraie. Il se prosterna devant eux en louant le ciel de lui avoir accordé la grâce de les voir.

— Guidez-nous, lui demanda la reine. Je veux mieux connaître vos terres et vos gens.

Flatté par l'honneur qui lui était accordé, l'homme s'acquitta de sa tâche avec entrain. Très vite, il en vint à parler de la crue. Surviendrait-elle au bon moment ? Serait-elle excessive ou insuffisante ?

En ce mois d'été, à quelques jours, quelques heures peut-être de la montée des eaux, la crue était le seul sujet de toutes les conversations. Le fleuve était à son niveau le plus bas. Partout, la terre était craquelée, mourante.

Le couple royal et leur guide s'arrêtèrent au bord du Nil. Sur un îlot herbeux, un crocodile se prélassait.

— Toutankhamon déclenchera une crue abondante, affirma Akhésa. Les berges reverdiront, la campagne refleurira. Les moissons rempliront les greniers. On dansera sur les aires et le nom du roi sera acclamé.

*
* *

Le roi et la reine allèrent à Assouan, sur l'île où se trouvait la grotte d'où jaillissait le Nil. Le dieu bélier retenait le flot sous sa sandale. Lorsqu'il levait le pied, il libérait l'eau. Encore fallait-il que prières et offrandes lui soient adressées en quantité suffisante.

Un bon roi offrait au pays une bonne crue. À la fois dieu et homme, il devait être capable de rendre la terre fertile. C'est ce qu'enseignaient les sages. C'est ce que savait le peuple.

Toutankhamon avait du mal à contrôler sa nervosité. Outre Akhésa, une cohorte de courtisans et le clergé du dieu bélier au grand complet se tenaient à ses côtés. S'il échouait à prouver ses pouvoirs magiques, il ne lui resterait plus qu'à renoncer au pouvoir.

Akhésa lui tendit un rouleau de papyrus couvert de prières au Nil. Le roi le jeta dans l'eau,

espérant que cette nourriture spirituelle satis-
ferait le dieu.

Ensuite, il fallait attendre. Peut-être pendant
des heures, peut-être jusqu'à la fin du jour.
Toutankhamon se voyait déjà vaincu, rega-
gnant la barque royale sous la clarté accusatrice
de la lune. La lune... C'était elle qui devait
déclencher la montée des eaux, ce jour-là pré-
cisément. Au dire des astrologues, du moins.
Mais ils s'étaient trompés d'autres fois...

À l'exception d'un petit tourbillon, le Nil,
d'une délicate couleur bleue, demeurait déses-
pérément calme.

Akhésa vit que Toutankhamon vacillait sur
ses jambes. Elle le prit par le bras. Son contact
rasséréna le roi qui retrouva une ultime énergie.

Soudain, l'eau du fleuve se troubla. Le bleu
se teinta de rouge sombre. Et le flot gonfla,
gonfla, salué par les acclamations des prêtres.

Le Nil, jeune homme bondissant, allait
recouvrir peu à peu les campagnes du pays. La
mince bande fertile de la Vallée qui se frayait
avec peine un chemin entre deux déserts
deviendrait un vaste lac d'où n'émergeraient
que les villes et les villages, construits sur des
buttes.

Ce serait le temps du repos. Tout le temps que le fleuve divin déposerait son limon fertile sur le sol, les hommes se déplaceraient en barque d'un village à l'autre, rendraient visite à des amis éloignés, organiseraient des fêtes et des joutes nautiques.

Pour tout le monde, ce serait un moment de répit. Mais Akhésa savait que ses ennemis en profiteraient pour apprêter leur armes. De quel côté viendrait le prochain coup, elle l'ignorait. Ce qu'elle savait, c'est qu'il n'y aurait aucune merci et que, plus que jamais, il lui serait difficile de continuer à être la Reine Soleil.

TABLE

PARTIE II

Les fourberies du clergé d'Amon

Composition PCA - 44400 Rezé

Imprimé en Espagne par LIBERDÚPLEX
32.10.2389.8./01 – ISBN : 978-2-01-322389-8
Loi n° 49-956 du 16 juillet 1949 sur les publications destinées à la jeunesse
Dépôt légal : mai 2007